P9-CML-407

D0014976

麻雀人生

MA QUE REN SHENG

老真 ◎ 著

Lao Zhen

南方出版传媒·广东人民出版社

·广州·

图书在版编目（CIP）数据

麻雀人生 / 老真著. —广州：广东人民出版社，2016.11
ISBN 978-7-218-11346-3

Ⅰ . ①麻… Ⅱ . ①老… Ⅲ . ①中篇小说—中国—当
代 Ⅳ . ① I 247.5

中国版本图书馆CIP数据核字（2016）第263548号

MAQUE RENSHENG

麻 雀 人 生　老真 著　　版权所有　翻印必究

出 版 人：肖风华

责任编辑：王俊辉　黄良起　李　响
责任技编：周　杰　易志华
装帧设计：奔流文化

出版发行：广东人民出版社
地　　址：广州市大沙头四马路10号（邮政编码：510102）
电　　话：（020）83798714（总编室）
传　　真：（020）83780199
网　　址：http://www.gdpph.com
印　　刷：广州家联印刷有限公司
书　　号：ISBN 978-7-218-11346-3
开　　本：889毫米×1194毫米　1/32
印　　张：6.5　字　数：230千
版　　次：2016年11月第1版　2016年11月第1次印刷
定　　价：35.00元

如发现印装质量问题，影响阅读，请与出版社（020-83795749）联系调换。
售书热线：（020）83780517

老 真 Lao Zhen

作者简介：

老真，本名甄硕钦，1937年出生，祖籍广东开平。在中国从事文化、传媒工作三十年，副研究员职称。

1989年初移居美国。第二年4月，在亚利桑那凤凰城创办当地第一份华文报纸《美国亚省时报》，任总编辑、社长。至今拥有华文报纸、英文报纸、互联网、旅行社等，在传播信息、弘扬中华文化中发挥作用。

在华人社区，被推选为亚省华文笔会创会会长、亚省华文作家协会创会会长、亚省中华文化交流协会创会顾问、亚省开平同乡会创会会长，等等。

作品多见载于海内外华文报刊，并编撰成书出版。

个人简介辑入《世界华文传媒年鉴(2005)传媒界名人》。

序

　　早年，美国的华侨多来自广东四邑地区，特别是来自开平、台山的居多，书中所描述的主人公就是一位这样出身背景的老华侨。作者用充满激情的笔调，给我们讲述了主人公在美国努力奋斗的一生，让我们了解到这一代华侨在美国辛勤与成功的历史。由此也让我们看到，正是因为老一代华侨的奋斗，才构建了我们今天在美国社会经济系统中所占有一席之地的坚实基础。

　　我认识老真很多年，他是一位正直憨厚的老报人，由于书中故事的原型取自于他的老友，加上又是同乡的缘故，故书中的人物让我们读起来栩栩如生。正如作者所言："为好友佳叔写传记，是多年的心愿。他感人的一生，实在是按捺不住作者内心的冲动。他的人生，充满传奇，动人的事迹写不尽。动笔时满怀激情，以他作原型，根据他的心路历程来构思写作布局，着力塑造出时代的典型。"

　　作者正是用小说的春秋笔法，通过对主人公精彩人生的描述，在海外华文文学领域中，向我们展现了这一群体人生的悲欢离合，试图跳出传统叙述的局限，以报人细腻的视角，剖析不同时代，华侨在主流社会里繁衍生存的社会问题，作为写作题材的突破。

北美华文作家的特点是在双重文化背景下写作，无论表现离愁别绪还是荣辱沉浮，他们的精神层面都烙印着自身痛苦挣扎奋斗的痕迹。他们的作品与大陆本土以及台湾本土、香港本土、东南亚本土的作家有着截然的不同。回溯以往，我们这些背井离乡的人群中也曾出现过许多动人心弦的文字。从20世纪40年代老舍的《鼓书艺人》，到了60年代末白先勇的《纽约客》、于梨华的《又见棕榈，又见棕榈》，再到80年代风靡一时的《北京人在纽约》《曼哈顿的中国女人》等等。这些作品写出了老一辈海外华人作为社会"边缘人"和"无根的一代"的精神痛苦，曾圆了很多读者精神上的猎奇与窥视之欲。

经历了世纪轮替之后，由浮躁到沉潜阶段，北美华文文学从单纯描写个人沉沦奋斗的传奇故事，逐渐走向对一代人命运的反思和对中西文化心态的价值的探讨，直到现在我们看到老真的《麻雀人生》，北美华文作家开始将视角投向生命横向的喜怒哀乐：北美华文文学在走过近百年的风雨探索后，无论是从社会人生的积累层面，还是从文学意识的酝酿和崛起层面，都开始走进更大的文学格局。

通过阅读老真笔下那些鲜活的人物，我们看到的是文字背后一个带有普遍意义的主题，即人类的自信与地位在"漂泊"的现代生存环境中，只能越来越强，而不是越来越弱。
老真以一个老新闻工作者细腻的目光和宏大的叙述，向读者
揭示了华侨在美国复杂的社会、心理问题，用一个广东移民
家族艰难曲折、辛酸伤感、喜怒哀乐的生活再现，揭示了隐
藏在这个家族故事背后复杂的社会架构。

　　我一直认为，写作是很私人性的，但文字却是用于影响
社会的。我们每个人的一生都是一部作品，每一个家族都是
一部多集的连续剧，但如何使这些素材成为好的文学作品，
则取决于一个好作家的文笔和描述，因为正是他们，把这些
令人难忘的故事用文字存留下来，成为读者心中永远的记
忆，同时也给这个世界留下了生命的断面。老真正是在用一
个移民家族的故事，藉着他们在美国求生存发展，安居乐业
的生活经历，打开一扇剖析、探讨第一代移民的欢乐与痛苦
的窗口，犹如一张光盘，将一个家族鲜活的生命历程镌刻在
历史的记忆上。

新移民文学会会长　少君博士

2015年10月24日

开场白

本人出生于侨乡，在乡间活了半辈子，从小就听亲人讲述"走金山"的故事。

话说大约两个世纪前，故国落后，朝廷腐败，生灵涂炭，哀鸿遍野。福建、广东的乡民为生计"下南洋、走州府"。鸦片战争后，洋人到广东招募"契约华工"，贫困的农民卖身当"猪仔"，被贩运到外洋做苦力。当美西三藩市附近出现"淘金热"，四邑（台山、开平、恩平、新会）乡民，觉得出洋比在乡间有出息，便好似"滚雪球"那样，一批一批出洋去淘金、开矿、筑路、垦荒，"走金山"自此起步。

起初，百年间，世道沉沦，列强横行，弱国受欺。华人在海外，好像无依无靠的赤子孤儿，受歧视，受排斥，受压榨，受欺凌，苦海无涯！说起那些苦难岁月，赤子无不摇头叹息："洋人吹须碌眼，唐人寄人篱下，汗水流干才挣几个便士！"其时，在外难，在乡也难。青壮年男子出洋，老弱妇孺守家园。几多美好的家室、夫妻、儿女、父母、兄弟姐妹，忍痛割爱，拆散离别。别时难、归更难。重洋远隔，相互守望，聚会无期，造成多少悲欢离合！那时，人的感情世界被压抑、被折腾、被摧残，人性失落，出现一幕又一幕人间悲剧！作者在乡听故事时，脑海浮现着亲人的境遇，不禁心酸酸、泪涟涟！

时代巨轮滚滚向前，"走金山"百年之后，世道大变迁，沧海桑田。二次世界大战，反法西斯胜利，和平民主力量大增强，建立"地球村"呼声四起。中华民族在复兴，祖国走向繁荣富强，成为在东方崛起的经济大国。以强大的祖国为后盾，海外华人的地位正在大大提升。美国废除了《排华法案》，抗战胜利后，从"出国兵家眷优先"带起的移民潮，一波接一波。目前，在美华人人口接近500万，是全美少数族裔的第二大族群。一百多年来，华人华侨在海外自强不息，一代接一代，已到第四、五代。土生的ABC，普遍成为社会上有用的人才。随处可见，生龙活虎的华裔，活跃在大企业大机构的高层。在近年的新移民潮中，涌入了不少留学生、交流学者、科学技术专业人士、贸易界和工商界人士。不少新移民在自主经商，通过多年努力打拼后，小有成就，过上中等以至富裕阶层的生活。华人华侨内在素质的优化，已成为一个"卧虎藏龙"的族群，在全美多民族大家庭中势必成为"大哥大"。

世事如潮，潮起潮落，本人被卷入亲属移民潮。年过半百"走金山"，是悲？是喜？不禁惘然！于随波逐流中，路上不闻"离堪怨，别堪怜"的长恨歌，只听"潇潇洒洒走一回"流行曲在传唱，欢乐声声催我行。步履维艰，到了"金山"，置身异国他乡，人地生疏，实在无可适从。唯有从头越，跻身媒体操旧业，尝试苦辣酸甜，风风雨雨，寻觅人间真善美。"走金山"，路漫漫。抬眼望，星推月移。低头看，不知里程多少？前人"走金山"已一百多年，我等只是半路出家、半途插队。里程碑上记：大路前头，苦尽甘来！

海天漂泊，故乡永怀。当年在乡，听故事，记前人足迹，零零碎碎地写下几篇史话、散文。如今，走在金山路上，人人意气风发，雄赳赳，气昂昂，奋勇直前。28年来，一路风情一路观，多少人情世故，多少喜怒哀乐，确实令我触景生情，感怀身世！不由捡起自己几篇粗俗的习作，读来顿感有头无尾，未成体统，不禁汗颜。枉我半生家乡，半生海外，一生习文读史，对前辈父老开创的抚我育我的金山之路，只有一知半解。

诚然，岁月无情，暮鼓晨钟，也唤不起史海沉浮的气力了！于是，抱着不负家乡的劬劳，试欲学习老骥伏枥，用粗粗的指头去点击英文键盘，读出中文字眼，把这些年来在海外的所见所闻，所感所受，所抒所怀，掏将出来，以"滴水见太阳"来反映当今走在金山路上，一代新人，一个新世界，一段新里程。偿还心愿在暮年罢了。

为好友佳叔写本传记，曾是作者的初衷。他感人的一生，充满传奇，动人的事迹说不完，是当今海外新一代人的典型。本书首选他作主人公的原型，以他的心路历程来构思布局，循着他的足迹铺排本书的故事情节。主人公生活在一个广阔的天地，在他周围有无数的同路人，其中有至爱亲朋，旧友新知。跟随故事情节的展开，在特定的时间和空间，摄取与主人公关联的人物，进行艺术加工，塑造出一群活灵活现的人物。书中描绘的所有人物，都不是记录真人真事。读来若觉形似貌似，敬请不要对号入座。

20世纪前期到21世纪前期，是一个人类历史上大变迁、大变革、大进步的时期。书中主人公卷入时代的巨流，每寸脚步刻上时代的烙印，"滴水见太阳"。

出生在侨乡，长大走"金山"。受异国他乡生活环境熏陶，造就了主人公多面、随机应变的独特性格。书中对哺育主人公成长的自然环境，物貌景色，风土人情，乡规习俗，着墨比较浓重。

主人公于欢乐声中问世，在欢乐的环境中上路，路途上所遇所为以欢乐为怀，一生追求欢乐的人世间。他最大的乐趣是打麻雀，故本书定名为《麻雀人生》。

作者是在编报之余，一篇篇写出，在报上一篇篇连载。读者说，有泥土香，近人情味，可读可点，希望成书出版。有些土生，望译成英文，自己能读，后代也能懂。

作者已届暮年，力不从心了。谨向读者们、亲友们、乡里们、同胞们，深表谢忱，恳请批评指正。

老真

2016年6月30日

目录

舞花灯

每逢佳节倍思亲。正月十三，泮村舞花灯，是有几百年历史的盛会，名扬四海，不少人慕名前去观赏。泮村姓邝，相传五百年前四邑邝氏一家亲，每年庆会去寻根问祖，走亲戚的兄弟很踊跃。

这年，邝沃益跟同村兄弟一行八人去观礼。天蒙亮，从本村出发，到荻海渡头上船，沿潭江顺水东行，一个多钟头到了单水口，上岸走两里路，到达泮村街市。街上的地摊，摆卖鲜菜活鱼，乡民熙来攘往。

八时许，沃俊等人到街边茶楼，坐落饮早茶。一位白发苍苍的老人家过来打招呼。互通姓名，得知他叫做二伯公，在这儿应酬来观花灯的客人。

寒暄几句，沃俊有礼貌地问："我等来自台山冲云。听前辈说，泮村与冲云，邝氏同宗同祖一家亲。今日，有幸见到前辈二伯公，请问能否说说，一家亲的来龙去脉？"

二伯公点点头，微笑地说道："邝氏同宗同祖，源远流长。说来话长，今日时间不多，长话短说吧。"

"话说古时有邝国。八百年前，宋高宗建炎三年（1129），古邝国后人邝询，自安徽省宣城南迁广东南海大镇乡置地建业，成为广东邝氏始祖。七百年前，部分族人自南海西迁到新会城。而邝一声则自新会城迁来开平泮村开祖，一声生二子，公昭和公表。公表后来迁到台山冲云。"

沃俊插嘴道："我们是来自冲云的大马村。"

"噢！且说泮村，地处潭江北岸，一片冲积平原，土壤黑黝黝。我们的祖先初到这里时，地势低洼，稻田常被洪涝淹没，农作物难有收成。父老们到会城找老学究来做实地勘察。他们注意到，田垄中有五片坡地，屹立五座黑色巨石，是狮、虎、象、马、牛的化身。原来这五大兽见江畔平坦，水流缓淌，水草茂密，鱼虾群游，它们便饱食终日，躺在坡地上睡觉。为改变这种境况，大家商定，在开耕前的正月十三，结扎大花灯，到五兽山去，鸣放鞭炮，敲锣打鼓，舞起醒狮，摇旗呐喊，吵醒狮王。再到其他坡地，唤醒四兽。跟着，高举花灯巡游各村，告知家家户户，春天到了，同心协力去消灾除祸。这一举动，震撼全乡。早春一到，农夫们行动起来，修渠筑堤，排涝改土，开垦种植。自此，获得好收成，一年比一年好。乡民大受鼓舞，就把舞花灯作为迎春接福的俗例，一年一小舞，三年一大舞。自明朝天顺三年（1459）起，沿至今日，好几百多年了。"

这时，四乡锣鼓声声，二伯公停一停说："今年是三年一遇大舞，好隆重呢。庆会有几个步骤：扎灯、送灯、起灯、游灯、抢灯。扎灯，年前小年晚开始。祖祠值理召集各村代表，通过投冲，选出三条村制作三盏大灯。灯芯高16尺、宽9尺、灯肚直径5尺、六角型灯脚宽3.2尺。春节前后，村上师傅进行制作，锯竹、削篾、扎架、上浆、裱纸、上色、勾线、绘图等，要用十八九天才扎成呀。"

临近九时，锣鼓声紧，人声嘈杂。二伯公对沃俊说："三条村民送灯来了，我们到二楼阳台上看热闹吧。"

在阳台上，凭栏望去，田野中有三列人马，敲锣打鼓，浩浩荡荡朝村心地坪而来。地坪正中的泮村祖祠门前，彩旗飘扬，瓦檐下挂着三连鞭炮。

瞬间，拍掌声、锣鼓响，震耳欲聋，三支队伍齐集在祠堂正门前。地坪上，人山人海，人声鼎沸。二伯公指点沃俊等人细心观赏，高高竖起的三盏花灯，色彩缤纷，各有特色，大小不一。每盏灯自成一体，由一挺长竹竿，串着大小灯笼，中间是红底金黄线条间格的扁圆型大灯笼，上头下头连接着多彩的菱形小灯，冠盖是六角吊有小风铃的七彩平板，灯脚挂着飘拂的彩巾。造型古色古香，象征吉祥，显得高贵。

"嘡！嘡！嘡！"鸣锣三声，祖祠族务值理宣布：今年三盏花灯扎得成功。从祠堂出来的人举着三面旗牌，标着大王灯、二王灯、三王灯，分别授三支灯队。祠堂檐下鞭炮接连爆响，三支队伍以旗牌开路，举起花灯，一队跟一队出发。

二伯公领着沃俊等人立即下楼来，插入大王灯队，随队行进。

大王灯队，先到狮王山。花灯高举，雄狮起舞，锣鼓齐鸣，摇旗呐喊，把睡狮唤醒。二王灯队、三王灯队，分别到虎山、象山、马山、牛山去，同样唤醒四兽。这时，锣鼓声、呐喊声，震撼了整个泮村，天上人间都苏醒过来！

接着，花灯大巡游。三支队伍按照划分的路线，分头巡游到全乡四十二条村。各条村、各家各户，男女老少穿上新衣裳，门前张灯结彩，准备炮仗或烟花，迎接花灯队。

金龙村是人丁兴旺的大村。灯队快到来之前，村上几十位后生拥簇着一具约二十多米长的锦绣金龙，到村前大池塘淌水，等候大花灯。随着炮竹声、锣鼓声，大王灯队不经村门楼，故意走侧路入村，下水昂立池塘中央，似以光芒高照屋舍。金龙追逐着花灯，龙首高昂，龙身盘旋，龙尾摇摆，起起伏伏，逐浪翻腾。然后，花灯上水，金龙跟上水，在塘基地坪上又与醒狮共舞，各演本能，精彩绝伦。这时，锣鼓声隆，炮竹烟花爆破，村民的喝彩声叫个不停，庆会到了高潮。

直到下午四时许，三支花灯队分头巡游了全乡四十二条村，兴高采烈，凯旋出师前的本村，庆祝胜利。花灯放置在地坪，在一片哟呵的呼声中，举起棍棒，把花灯打个稀巴烂。然后，大家争相把竹枝纸片拾起，作为吉祥物带回家供奉，分享盛会的成果。

沃俊几人跟二伯公在现场，各人也拾得一小扎。

太阳快下山，兴高采烈地转回家。沃俊回到家里，三更鼓响了。

儿孙梦

　　天刚发白，新娘贵珍听到屋里家具移动的声音，听出了家婆已经起来，上神阁去大清洁，让列宗列祖神位焕然一新，明天元宵节好装香换盏呢。她立即起床去帮手，洗洗刷刷，抹抹扫扫，直至做早饭时刻。

　　四邑乡间，每日两餐，朝九晚四。八时半，贵珍回闺房，床前见自己的新郎沃俊仍熟睡。自泮村回来太疲劳，该多睡吧。她在床沿坐下，侧身看看新郎，一个英俊男子，风华正茂，曾经是自己父亲书馆的得意门生。庆幸双方父母做主，缔结了良缘，可谓花好月为圆。新婚三个月来，两人情投意合，恩恩爱爱，只盼早日抱孩子呢！

　　叮叮当当，廊厨间碗碟声响，早饭时间到了。贵珍收起情思，沃俊也醒了。两人走出闺房，见菜肴已摆在桌上，各自打饭，入席座下。沃俊自己迟起床，有点不好意思，便对母亲直说："昨晚半夜回家，钻入被窝蒙头就睡，进了梦乡，迷迷糊糊，梦入非非，痴痴醒来，阳光已自天井射入厅底角咯。"

"新娘就在身边，何故梦入非非？花灯会上，美女如鲫如鲤，看花了眼，想坏了心肝么？"儿子心，母所知，只为在新妇面前，开开玩笑而已。

沃俊只好打开天窗说亮话，细说梦话："舞花灯庆会上，我等在打灯分享吉祥物时，拾得小扎竹枝彩纸带回来。这些吉祥物，能带来什么呢？我许个愿，表达眼前的祈盼吧。躺在床上，遐想联翩，不知不觉睡着了。黄粱梦，一幕又一幕。啊，山明水秀，鸟语花香，美女如云，莺歌燕舞。细心看，似我新娘也在其中呢！"他望了眼贵珍，接着说："一位穿着白雪长袍，面露微笑慈祥的仙姑，一手捧婴儿，一手抚摸，麒麟驾座一童男，出现我眼前，跟随到家门口。啊，美妙的梦啊，如愿的梦啊！这时，惊梦犹醒，追梦心不息呢！"

这番梦话，说中母亲的心，但愿不是做梦，绘形绘影现真情呢。她直截了当地说："面露慈祥微笑的神仙，就是大慈大悲观世音菩萨呀！"接着，她对儿媳说："菩萨报梦，儿孙降临。家嫂，迎新接福好了。"

"系！系！"贵珍含羞低头轻轻地答，面颊浮起红晕。

"早饭后，你俩上荻海或新昌埠，找礼品店，选购一尊送子观音捧回家，虔诚供奉吧。"

早饭后，一对新人打路出埠。晚饭前，带回一尊白石雕塑送子观音，安置在大厅正中靠墙的八仙桌上。第二天是元宵节，供奉三牲酒礼，还有应节的咸糯米汤圆。自此，每日装香换盏，每晚点腊竹烧元宝。

一个月，菩萨显圣，灵验就出现。贵珍作状了，不时流白口水，呕吐，不思饮食。她心中有数，入门三个月，是时候了。这些日子，春来早，水洒春牛皮，百日雨霏霏。雨水浸谷，清明耙田，谷雨育秧。快到立夏，弯腰插秧，恐怕要作罢了。

好家婆知家嫂心事，安慰说："家里人口清，田地多佃租了。自耕只有两斗多地，我和沃俊大半天就插罢，放心好了。"她语重心长地说："走金山人家，强壮的男儿出洋去，老弱妇孺守家园。如今，从在外的老爷和老爹算起，在家的沃俊是三代了。家嫂身怀的是第四代呀！哺育孩儿，传宗接代，神阁香灯有人常换，是妇道人家的本分呀。"

"菩萨报梦，儿孙降临，在外老人家得知定然喜如雀跃呀。我们即刻去台城'省港澳海陆空银庄'联络处，尽快把喜讯传到外洋。"

话刚说完，沃俊出门去了。

不到一个月，沃俊接到父亲亲笔信："金纸五百，健胎强子，为慰。良修字。"在外亲人的亲情厚意，乡间家眷们欢欣鼓舞。母子忙碌起来。沃俊去见医生，问老成，找朋友，请教妊娠期间饮食啦，滋补啦，保健啦，有哪些良方秘诀。应买的买，应做的做，一概俱全。母亲约妯娌上城去，到丝绸布匹店选购布料，回来裁缝婴儿衣服、被袄鞋袜、背带帽巾，等等。

贵珍稍不舒服，沃俊马上到跟前问长问短。有时，他把耳朵贴住她的肚皮，听听肚里的动静，小宝贝有无伸拳踢脚。

十月怀胎，婴儿坠地。新阿嬷，新阿爸，在作产的房门口，听候佳音。

呱呱两声，接生婆一句：平安旺相，新阿嬷马上推门进去。她接过接生婆递过的包被，掀开被头一看，喜形于色喊："有嘟嘟，嘟嘟，嘟嘟仔！我家神阁牌，有人换盏啰！"

新阿爸紧跟上接手抱住，再递给新阿妈，对婴儿说："妈妈爸爸最爱，嬷嬷爷爷最爱！叫爷爷起个大名吧。"

这时，来道贺的叔伯婶母，人人笑逐颜开，说："嘟嘟仔，天官赐的福呀！"在现场的妯娌们说："即刻劏鸡，煮鸡酒，谢天谢地，拜祖先！"

果然，新爷爷的快信到了："家中四代有传承，乐在天伦！嘟嘟仔，大名家乐。"接到新爷爷礼银，新爸爸当日进城去，买回张用赤藤编织的摇篮车。新妈妈把家乐放进去，轻轻地摇动，细细唱催眠谣：

> 摇呀摇，摇呀摇，摇到外婆桥，
> 外婆话，嘟嘟仔，家势乐，
> 眉似爸，眼似妈，鼻似爷，口似嬷，
> 双耳如外婆，手手脚脚如外公。
> 外公话，未学行先学跑，打赏个麻糖头。

坐月子时，新妈妈身壮力健，奶水充足，小家乐含住乳头，吮呀吮呀，吮不停。过了几个月，妈妈奶水多起来，小家乐吮不尽，奶水自口角溢流出来。小口唇离开乳头，奶水源源喷出，沿着胀鼓鼓的乳房泄流。

新嫲嫲见状，对新妈妈说："小家乐仔食厌了，奶水多留在乳房馊了，不如轻轻地挤掉。我来做些糖糕糊糊，给他换口味吧。"

九月后，小家乐口腔目牙，可以食烂饭了。五日一墟，叫卖"猪肉，有肥有瘦，有排骨有下水"上村来。新阿爸就招手挑担小贩到巷口来，切瘦肉四两，猪肝四两。邻舍堂弟捉得黄鳝，田鸡，秋鱼等野味，嫲嫲就收购起来。每餐煮饭时，待米汤沸腾起来，取出米和汤，放入小瓦煲，加上猪肝瘦肉，或黄鳝，或田鸡，或秋鱼。坐落火红炭炉里焗，焖成香喷喷的烂饭。一日三餐，小家乐吃到口咄咄，腼泼泼。吃了几个月，手臂长得像节瓜，大腿小腿像葫芦瓜，全身活像农家的桩米柱头，颠倒头来也竖得稳。妈妈说："孩子乖仔呀，你一出世，就有个好阿爸，好阿嫲呀！"

无奈，家乐刚满周岁，阿爸要出外洋，走金山去了。留下阿嫲、阿妈、学走路的嘟仔三人相依为命。

蟛蜞酱

四邑侨乡，地处珠江三角洲西侧，河涌似网，基围无数。坎头溪边小垌生长着许多小螃蟹，广东话叫做蟛蜞。乡民捉来，或炒，或蒸，或磨酱，是大众常备不缺的天然食品。据说，当年"猪仔"华工出洋时，携带的包袱就藏有用小埕装的蟛蜞酱，在牛牯桶船上作送饭的佐料。

五岁的家乐，喜欢跟妈妈去捉蟛蜞。不过大半日，就满载而归。他喜欢看阿嫲将蟛蜞洗洗净，除泥污，放进缸瓦牙盆，用木柱剁碎，擂磨成酱。然后，倒进小瓦埕，加入食盐、炒米、少许砂糖和白酒，密封埕口腌制。一日，小家乐捉蟛蜞回来，交给阿嫲磨酱。他仍在旁看着，不时将盆中往天井溜走的蟛蜞捉回。阿嫲触景生情，编成顺口溜，随口而出，叫他跟着一句一句地念：

落水仔，讨帽戴。
捉蜢蜞，走最快。
巡堤基，查水沟，
走走哄，捉唔细。
捉几多？三斗箩，
一箩炒，一箩磨。
天井角，还有箩，
去金山，船上带。

阿妈问：俾乜装？
阿嫲答：咸汤埕。

三人哈哈笑。

家乐自小贪玩耍，爱说话，吃饭时仍不停口，不停手脚，阿嫲坚持每餐给他喂饭。一日，饭台上摆有一钵肥猪肉蒸蜢蜞酱，醇香爽滑。小家乐张口接住阿嫲一匙一匙的酱捞饭，不用嘴嚼，便往喉咙吞。不几唉，咽哽住了。阿嫲拿起蜢蜞酱钵，往家乐的头顶上轻轻地推推磨磨，细细声反复吟唱：

头顶磨磨，鼻孔索索，
口水吞吞，头咙喔喔，
拍拍背花，下落下落。

唱未罢，家乐全吞下，张大口见个窿。

过两日，阿嫲到厨间盛饭时，揭开锅盖，被热腾腾饭气扑面呛鼻，嗽了几声，回桌边坐下在打息噎。小家乐以为被哽住，手疾眼快，拿起那蚝蜞酱钵，想照样往阿嫲头上去推磨。"没事！没事！"阿嫲连忙抬手阻挡。谁知，一抬手，郄碰着钵子，蚝蜞酱晃了晃，荡了出来，洒落头上，流淌在头发间。

"阴功啰"一声，阿妈气急败坏地从厨间跨步过来，扬起手向儿子去扇巴掌。"住手！住手！"阿嫲一边叫，一边侧身阻挡，保护住爱孙。接着，平心静和气地说："大牛过海，小牛过河呀。前日他哽住，我拿钵去磨他头顶，今日我呛了，他学样来磨。孩子机灵，善模仿，用不着发火呢。我去洗头换身，阿妈来喂饭吧。"

这时，阿妈下气了。扪心自问，那巴掌摛中儿脸上，会痛在妈心头呢！此间，她心怀感激，接过阿嫲手上的饭碗，和声悦色地说："嘟嘟仔、醒目仔，说声多谢阿嫲啦！阿妈喂你。"

阿嫲清洗好，换过衣裳，回饭席。家乐走过来，笑着说："阿嫲好干净，好靓，好靓啊。"他望了望她头顶，又问："嫲嫲，黑发变了颜色，斑白斑白，是被咸汤腌成的吗？"

"乖孙眼真利，阿嫲是白发多了，老了。"她答。

家乐依偎在她肩膀，说："嫲嫲，不要老，我要嫲嫲喂饭呀。"

　　阿嬷抚摸家乐的短发平头，感怀起身世："说来，阿嬷年纪不算大，但心很老了。当初，十八姑娘一枝花，配你爷爷三十八，青头仔金山客，老牛吃嫩嫩草。两人恩恩爱爱，一年后抱了你阿爹。你爷爷拉你爹的手学走路，不久，忍心离开幼儿和娇妻，回金山去。离堪怨，别堪怜，别泪洒花前。你爷爷话，三五几年回来吧。星推月移，望眼欲穿，几曾有回来的声气呀！二十年来云和月，你出生，才满周岁，你爹爹远走。呕心沥血，养大一个送一个，留给自己的就是神主牌。留守家园犹守寡，孤床独枕夜难眠，寒来暑往花落去，几时老郎能回来？"

　　她叹息一会儿，又说："重洋跋涉，从金山回唐山，要积蓄好多年呀。大好后生出外，七老八十才回来。有用的人出去，冇用才回来，成个废物。嫁金山客女人，生下孩儿，就得收身大半世啦。"

　　听阿嬷倾诉，无忧无虑的小家乐只知道一点道理，大人们有着不解的烦恼和忧愁呢！他一头栽进阿嬷的怀抱说："我长大就出洋去，叫爷爷即刻返来。"

　　阿嬷说："乖孙呀乖孙，等到你出洋去呀？阿嬷白发全头了。"

　　对人情世故似懂非懂的小家乐，离开阿嬷的怀抱说："从今日起，不要阿嬷喂饭了。蟛蜞酱捞饭，自己大唻食，多食，快食。"朝门口踏出正步，大模大样地说："快高长大，去金山啰！"

书馆乐

　　七岁的家乐以为，真的快高长大了，事无大小，总要学着干。常常跟几个小朋友一起，掷菱角，打柴碌，打泥仗，捉迷藏，堵水涌尾，斛田头角，放风筝，射雀鸟，掏鸟窝。

　　一天，他上树掏鸟蛋，踩破了树丫掉下来，摔在地上，扭伤左手腕。跌打师傅把剁烂小鸡混合草药给他敷上，垫了夹板，用绷带系着颈吊在胸前。十多天，不能出去跳跳蹦蹦，整日待在家里。

　　外婆来看他，给他带了几个最爱含的麻糖头。外公给他一本《三字经》，问会读吗？他翻开一页，记得阿妈有念过，便脱口念一出，"人之初，性本善；性相近，习相远"，就念不下去了。

　　阿妈在旁说："该入学读书啦。"

　　阿嫲接着说："走读，入市头的书馆，有好几里路。他好玩好跳，这次跌屈手，下回会跌跛脚呢！不在近前，怎好呀？不放心呢！。"

外公知为阿嫲爱孙犹命，来前就思量过。这时，见直说不通，便转个弯说："听我讲些古仔，好吗？"

家乐笑着说："好！外公讲古最好听。"

外公咳了一声，慢条斯理地说："说起邝氏，名门望族。家乐的太公邝高胜，自小用功学武，精灵勤奋，考得武举人。他崇尚以武力推翻清王朝。后来，为情势所迫，跟随洪门兄弟，下南洋，过北美，在靠近旧金山的沙加缅度落脚，入华人会馆当教头，作为邝家去金山的开山祖。家乐的祖父良修，是第二代。家乐父亲沃俊，是第三代。家乐你呢，第几代呀？"

家乐站起来，昂首阔步走过来，大声地答："我是第四代！我要像太公那样，考武举人，去金山当教头。"

外公笑了笑，说道："家乐你这个第四代，有志气！要知道，时势巨变，清王朝被推翻了，民国政府在推行三民主义。从前，考武举人制度没落了，在金山，在唐人街，冇人去当教头了。世界上，第一次世界大战结束不久，列强仍在争王称霸。西方国家都在实行科学强国的道路，大力发展经济。中华民族要自立于世界民族之林呀。常言，识时务者为俊杰。识，是认识，有知识。知识何来，学而时习之。七八岁的小孩子就要入书馆，读书识字，知书达理。长大有知识有学问，成为社会有用的人才。到了外洋，能识时务，适应新潮流，才能有世界捞呀。"

听外公说的大道理，小家乐虽然不全懂，但见阿妈和阿嫲不时在点头，便说："我听公公的话，公公说要入书馆我就入，要读书识字，要识时务。"

阿嫲对亲家老爷，这位乡绅名贤，十分敬重，话必听，计必从。今日这一番话，启发了她，说出了自己的想法："本村门楼旁那间书馆，原是家乐的太公当年练武教功的场地。如果用来开办村学，小孩子上学就不用走远啦。"想了想，就提出："本村开书馆，能请到老师吗？"

亲家老爷心中有数，立即答道："开平赤坎牛眼沙梁树南老先生，前清乡秀才，才学出众。与亲家老爷在乡时曾有好交情。请亲家老爷肯出面，本人就去说聘，相信不会推卸。"

阿妈对着阿嫲说："请外公执笔代写信去外洋啦，告诉老爷啦，好吗？"

阿嫲说："好！好！这样，村学开学在望啦。"

农历二月二日，乡间叫做龙抬头，大马村书馆开学了。上午八时，家乐穿上黑缪绸小长衫，跟阿嫲去入学。

书馆正堂，挂着一幅孔夫子像。阿嫲自礼物篮取出青葱、黄片糖、香肉和红包、烧酒等，放上祭台，点燃神香蜡烛，领着家乐向孔圣人像三叩首，祷告说："孔圣人在上，民妇邝门谢氏在下，今携嫡孙邝家乐前来奉拜。祈求圣贤，循循善诱，引导我孙读圣贤书，知圣识礼。他日，漂洋过海，崇尚孔孟之道，接手前辈，让爷爷早日买舟回唐，落叶归根。"随即，与孩儿一起，在祭台前洒了一杯白酒，点燃一把纸宝契钱放入聚宝盆，再作三叩头。

拜过圣贤，就报名入学。每位书童，缴交一斗白米作首期学费，自行搬来台凳放在指定的位置。当场给书童一张书单，自行到城里去，买课本。初入学，课本有《三字经》《增广贤文》《幼学琼林》《雪松轩》《论语》《孟子》《大学》《中庸》。第二年还有《秋水轩》和《五经》。

课堂内，三排枱，每排五张枱。一枱一人，十五位书童。学童程度参差，新开馆都是新入学，按照年龄和识字多少来分班，分作甲、乙、丙三级。每班五人，面对讲台排排坐。

课程是上午三节课，每节一个钟头。早饭后，九时半上课。正午放学回家休息。晚饭后，下午四时半为读书课，直至六时半放晚学。

上课时，采用复式教学。第一节课，甲班听讲书，乙班习字抄书，丙班朗读。第二节，乙班听讲书，丙班习字抄书，甲班朗读。第三节，丙班听讲书，甲班习字抄书，乙班朗读。三个班侇次转换，周而复始。上午，听讲书、写字抄书的，同在课堂。上午朗读的学童要到前廊的厢房。下午，三个班同在课堂，老师分班指定的课文细细声读，自己练习背诵。

下午朗读课时，老师随意点名，点到的到前廊去，按照老师指定课文，背向老师进行背念。念对了，老师笑笑，点点头，挥挥手，回座位去。念不出来，老师当场拿起放在桌面的木板条，卜两下头壳，抱着头回课室，重新读，等候老师再点名，再去念。再念不出，又卜三下头壳，又回课室念，直到放学。这类书馆，村民称"卜卜斋"。

小家乐初入学，编在丙班，上朗读课要到右厢房去。初时，闭着房门，小同学循规蹈矩读书，背念。多几天，同学们感到太单调，推出一个人大声朗读，其他人玩耍，如猜拳头，吹纸蟾蜍，弹玻璃珠，搓骰子，打扑克，等等。厢房与课堂有天井间隔，不留心，觉察不到厢房里的内情。老师在堂上摇头晃脑讲书，是不可能分心的。年纪大点的，就在厢房赌博，无所顾忌。

不久，小家乐偷偷地把阿嫲的一副麻雀带来。他跟阿嫲去打麻雀，看得多知道多。同班的不会玩，他就当小先生。

第一步，认牌数牌：第一类叫字数牌，筒子、索子、万子，共三门；每一门有由一至九的牌，各四张，三门共有一百零八张。第二类是风牌，东、南、西、北，四个风向，每款四张，共十六张；中、发、白，三款元牌，每款四张，共十二张；风牌和元牌七款，共二十八张。第三类花牌，梅、兰、菊、竹，春、夏、秋、冬，各一张，共八张。全副牌总共一百四十四张。

第二步，懂玩牌的术语：洗牌、叠牌、四方城、庄家、打骰、摸牌、排阵、出冲、生张、熟张、自摸、叫胡、吃胡、数番、底数、转风，等等。

第三步，学习打法，掌握打牌技巧。识别赢牌或输牌，计番吃胡，等等。

起初，厢房里的小朋友口袋没有钱。赢了或输了，由庄家记分，吃胡不论大小记一分，冇胡吃就零分。二十盘为一局，得十分以上为赢，六至九分作和，五分以下算输。玩多玩熟了，就吃胡计分，赢一盘是多少番，记多少分。以三十分为一底，总计三十分以上为赢，十五分以下为输，差多少输多少分。后来，为了有输有赢有利益，大家决定用口袋里的零食，炒扁豆啦、咸脆花生啦，作筹码。一番赢一颗，二番赢二颗，三番赢三颗，四番赢八颗，满胡赢二十颗。输了四十颗，放午学或早上学时，就到村上铺仔去，买个咸煎饼回来作兑。

小家乐不时赢得咸煎饼，就带回家给阿嫲。老人家接过小孙儿胜利品，笑到见牙唔见眼，对着妯娌说："乖孙真精灵，小小年纪打麻雀也能胜人。赢了，带回来，孝敬阿嫲。孝子贤孙呀，将来光宗耀祖呢。"说着说着，从大襟袋又掏出半吊铜钱来，让他多买些花生带上学。

家乐自小爱蹦跳爱走动，村上的叔伯兄弟叫他做"跳蚤乐"。他入了书馆，聪明伶俐，习字念书，从未被老师卜头壳。跟小同伴一起勤上学，不迟到不早退，不再闲游散荡，婶母们改叫他做"书馆乐"。

闻衫领

　　大马村书馆开学后，教馆先生树南公住进书馆左厢房，起居饮食由他的老书童——人称书馆福——打点妥当。他高龄八十，老伴已成仙，子孙们皆有出路，自己就以书馆为家。他名望高，人缘好，周末假日，常有乡绅父兄来闲聊，谈今论古。兴致起来，在前廊下几盘象棋，消遣消遣。初一、十六日乡公所牙期，乡长仁贵邀他坐上席。牙期大餐后，必开牌局。打完牌，由树南作即局评论，借题发挥，讲麻雀经。

　　树南公每次上乡公所，少不了带书馆福来帮厨。当晚宵夜，由他包起。若然有许可，还带上家乐，做阿福助手，又可以在自己身旁，闻衫领，递水烟壶。

　　那晚，大餐拾台，麻雀开台。乡长贵问书馆福："今晚的宵夜，乜料？"

　　书馆福爽快地说："天黑下来了，我马上出去，看天色，听下风声，打个白鸽圈回来，报告乡长，好吗？"

雀局刚开始，书馆福信步到大厅，回报乡长，说："今晚，天色暗，月娘娘害羞，躲进大片乌云。田野间，雾蒙蒙，湿漉漉，妙，妙啊！"

乡长笑笑，念出这位下人的老话："甲公叫，甲𫛭跳，甲𫛭骑甲公，脚趾公撞倒都唔叫。"

书馆福问："一手执佢两只，回来一锅焗熟？"

麻雀台间，有人喊："熟章，田鸡焗饭。"

啪的一声，乡长贵打出一张牌，说："今晚四张台，见者有份。宁可田鸡多，唔可饭不少，还要热辣辣。大家快手打牌，多赢几个圈，多抽水，多奖赏。"

书馆福舔舔舌头，自言自语："四张台，加走堂，人多，田鸡要多，饭不可少，非要打醒精神不可呢！"

话音未响，醒目仔书馆乐就说问："福叔，我帮你。跟你出去，学甲公叫，把甲𫛭引出来。"

书馆福望了他一眼，说："学甲公叫，咁容易咩！细佬仔，未脱口黄，乱叫乱喊，甲公乱咁跳，甲𫛭心慌慌，怎敢出洞来。你想学甲公叫吗？多吃几晚夜粥啦。"

阿福见阿乐，鼓着腮，憋着嘴，便说："乐仔，你不是说过，要站在师公旁，闻衫领，学嘢嘛。你看！师公转身拿水烟壶了，快打过去，打火点纸枚吧！"

书馆乐乖乖地站在老师身后去，闻衫领，老师知其有心学嘢，待牌局稳定，接过水烟壶在抽云吐雾，腾出个空隙，让学生接手，摸牌切牌。机灵的家乐，随时留意老师的眼色，心里有所领悟。

　　牌局转过三圈，阿福从外面回来，提着两大串用稻草捆缧的田鸡。大厅内，有人在喊："好手势，好手势！大大细细，统统杀。"

　　阿福闻声，以为说他，就说："大大细细统统杀，空前绝后，下一次就有得捞啦！捉一些，放一些，留有后路，天上自送来。"

　　树南公说："阿福，奇味不可多候呀！叫家乐去帮手，生火吧。"

　　书馆福轻轻吹着口哨，走进厨房。麻雀场上，笑声不止。

　　家乐知福叔的烹调方法，跟阿嬷给自己焖煲仔饭差不多，不过用大镬大锅来做。田鸡头爪加瘦肉煲白菜汤，其余用姜葱蒜煸好，米饭煮沸放上面焖焗。

　　饭菜做好，家乐帮忙端菜送饭。田鸡即捉即劏，肉滑骨香，原汁原味，味道新鲜。

　　乡长贵边吃边话："这餐宵夜，不独田鸡要多，饭也不少，而且够咸香，入口差点连舌头都吞落肚。各位兄弟，加码抽水，加奖加奖，好吗？"

　　有人还用汤匙打着敲碗，喊："应该加倍奖励，各台加倍抽水。"

　　饭后，各人坐在四方桌旁，论赢议输，唠唠嘈嘈。

　　片刻，乡长贵宣布："今古战场，胜胜负负，兵家常事。何失何利，不如听听树南公讲讲经论吧！"

　　掌声响起，树南公抽了两口水烟壶，吸吸气，吐云喷雾，打净嗽，就开始讲解。书馆乐接过老师的烟壶，拿着点燃的纸枚，留意老师眼望过来，马上把切好烟丝的壶嘴递过去。老师在滔滔不绝，他侧耳倾听，人笑他也笑，人鼓掌他点头。

在回家路上，树南公问他："我在讲的，你明白多少吗？"

他坦率地说："老师讲都入耳，只记得之乎者也啰。"

老师说："常言道：读书不求甚解，是死读书。求学问得真知，就能记得住。要不耻下问，才能得真知。我刚讲的是打麻雀，没有切实真知可言。我所论及，只是几十年玩牌一孔之见而已。"说着，望着学生，然后说："小家乐，不要愕然！要知道，麻雀的打法，是多种多样的，有四邑乡间的，省港澳通行的，宁波的，上海的，北京的，台湾的，不胜枚举。入乡随俗，四方城筑好，四人当场确定，就可以了。我说的经纶，不是到哪里都通行的。打麻雀，不外求赢避输，只有多看，多练，多用脑，就会摸索到门路。"

老师见家乐点头称是，老师接着说："打麻雀门路有二：正路是消遣娱乐，赢是乐，输也乐。邪路是赌钱博彩，输是弊，赢也弊。正门可行，邪道要止步，切记切记！"

回到大马村了，书馆门前，阿福提醒道："师公说的是金玉良言呀！"

家乐说："学生记紧记紧。"

树南公在大马村书馆执教了两年半。其时，日本发动了侵华战争，全国人民奋起抵抗，民众苦难深重。当日寇铁蹄蹂躏四邑时，乡民四出逃荒，避难。村学办不下去。树南公书馆福回赤坎牛眠沙去，自此，下落不明。家乐再没有机会见这位启蒙老师了。

家乐的小脑袋，一直记着恩师的告诫："消遣娱乐，赢是乐，输也乐；赌钱博彩，输是弊，赢是弊。"

逾窗走

天灾人祸，侨乡苦难深重。在乡弟子求学志气不息，鬼子来了，书馆关闭，逃难去。鬼子撤了，照样上学。

大马村书馆停办后，家乐已十一岁，家长放心，让他与同学结伴早出晚归，走读去市集的小学。抗日胜利那年，他高小学业，上中学要到县城去。他思量，快十六岁了，再读三几年就得出洋去，没机会在国内上大学了。县立师范学校四年制，有高中程度，也差不多了。

当时，师范学校是公立，旨在培养乡村师资，免收学费，还有助学金补贴膳食。上头拨给的经费，转转折折，到学校就有限，造成学生宿舍简陋，膳堂伙食很差。校方为减轻负担，欢迎学生外宿外膳。

阿妈说："外婆家在靠近师范学校的城西路，有间空置的铺。小姨家的同年表弟，正好也要到城里上中学，一同到空铺阁楼住宿吧。"

家乐见阁楼宽敞，阁板干净，打地铺能住五个人。除了表弟，他还约了村上三位兄弟结伴同住。那时，入学校内宿，睡洛架床，臭虫多多。在学校膳堂，吃黄菜和拌腐乳。他们外宿外膳，周日返学时，一头挑着家长用藤篮盛着米肉油盐蔬菜，一头挑着衣服包袱及柴草，回住处同煮同煲，乐也融融。

学校上晚自修课，外宿生可在住地自修，不用返学，每日下午放学后，时间很充裕。起初，几人分头温习做功课，取长补短，得益不少。在第一次学段考试中，五人成绩都甲等。

段考过后，几人松懈了，孩子脾气作怪起来。家乐带来一副麻雀牌，先做好功课后，一起玩牌。不几日，兴致越来越大，先玩牌，后做功课，煮饭也推迟。几人商定，四人打牌，一人专责煮饭和做功课。一人做好的功课，其他人照抄可也。叫做玩牌，煮饭，做功课三不误。

他们实行玩牌和煮饭两结合。以各人常带的食物作筹码。牌局以三十分为底，输二分交一块腐乳，输四分交一个鸡蛋，输十分交一块一籽腊肉或梅香咸鱼。打两个圈就算输赢，输者交出食物，即时煮熟，共同享用。交不出的，由其他人垫付，下一周日返学带回偿还。赢得的食物当天吃不完，留作第二天午餐吃。由于有得捞有得煲，越玩越痴迷。玩了一场又一场，有时玩到鸡啼也不收场。专人做好功课，也来不及照抄。第二天上学，打瞌睡，打不起精神听课。中期考试，成绩大部分不及格。

几个外宿生打牌入迷，终于被学校发觉。训育处考虑到，五人同住，其中一人是别校学生，教导方法要有所区别。学校作好策划，报告警察局，配合进行。

一个晚上，九时半，城西路一片寂静，阁楼上几个学生哥沉迷打牌，无所顾忌。一个穿着便服的警察在附近来回行走。师范学校训育处李主任带着一位校警，向住处慢慢走来。

突然，负责做功课兼"睇水"的同学，望见有人徐徐走来，马上喊了一声："有人！"

机灵的家乐下令："收档！"连忙把台布一拖，接着将把出的半片台布覆盖过去，将全副麻雀牌卷成一包，躬身向前，"飒"的一声搭上肩背。"走！"四个搭档急忙起步，一个接一个，从阁楼的后窗跨步出去。几人脚踏窗下一条横置的水泥基，双手攀住墙上的瓦水管，一步步往下溜。

"咪唏！不许动！"待四人都落到地面，等候在旁的警察，大声吆喝一声，并打亮电筒。只见几个大不透的小伙子，毛骨悚然，哆哆嗦嗦，垂头丧气。那位便衣心中有数，口硬心软，系威系势地说："是小偷，鼠摸仔，统统举手，举起手。"

家乐把布包放下，边举手边细细声说："是师范生，是学生哥，不是小偷，不是鼠摸仔。"

警察说："不管什么生，什么哥，夜晚逾窗走，爬水笼，鬼鬼鼠鼠，茶瓜送饭，好人有限。把布包拿起来，统统到警察局，去讲清楚，走，走。"

这时，留在阁楼上的一人，也惊得神不守宿舍，见有人

27

上阁楼来，也保持镇定，装出做功课的样子。训育主任上阁楼来，见是别校的学生，只问问其他人去了哪里？便下楼去。

他们来到警察局，在警察的配合之下，各人写下保证："以后不在校外宿舍打麻雀赌博。"然后，由训育主任领走，回到住处。当晚无事。

一个星期后，周一晨操，校长在训话中，说"我们现在是师范生，未来要为人师表。在学期间，要养成优良的品德，将来才能培育英才。否则，为师不正，弟子学歪。近日，本校有些外宿走读生，晚间不自修，只顾打麻雀，成绩下降，违犯地方的治安条例，不仅损害了个人，还损伤了校风。幸好，这几位同学被发觉后，能及时改正，每日自动返学校上晚自修。相信以后，他们一定会成为好学生"。

校长最后说："学者梁启超话：只要读书可以忘记打麻将，只有打麻将可以忘记读书。这是值得读书人时刻醒悟的呀！"

家乐醒悟了，现在学校读书，要忘记打麻雀。从此，勤力读书，品学兼优。第二年，被同学推选为本校学生会主席。

这年头，国内内战爆发。四邑侨乡，社会动荡，经济萧条，金融贬值，治安不宁。入学初时，结伴外宿外膳的同村兄弟，因家境困难陆续辍学，回家耕田，或出城打工去，阁楼住处只剩下他和表弟两人。表弟上普通中学，只住宿，不回来做饭，家乐只好自煲自吃。

一日，中午放学，回住处。进门，见管铺的表母，正与两位陌生人交谈。表母向家乐介绍，这两位陌生人是母女俩，是表母的同村相好。母亲叫刘婶，家在离城不大远的大江乡间。女的附近的学校读书，也来借用厨房作外膳。

家乐见新来少女，眉清目秀，身材苗条，文质彬彬，心里闪出一忿念：好一个美人，天送来，好同伴呀。家乐口窒窒，说不出话来。

少女落落大方地作自我介绍："小女，姓刘名凤仪，在女子师范，读三年级下学期。"

家乐随之说："本人亦读三年级下学期，书名邝光岱。满十九岁，不知是称学弟还是称学兄。"

凤仪微笑地说："原来同年等纪，同年级。无须计时日，谁大谁小，直叫名，就好啦。"

家乐打着学生腔说："现在的学生哥学生妹，年纪大，年级低哩。这是由于日本鬼子的入侵，民众被迫走难逃荒，有学校不能上，有读本不能读，大好的时光荒废了。"

凤仪接着说："我们学校老师话，抗日胜利了，同学们更要加倍努力，去补回失去时光呀！"

当家乐知道表母已经答应了对方，借用厨房，就说："这里的厨房阔，锅镬足，炉灶好，我和几位同学曾在这里同煮同煲，觉得很方便哩。"自此，两人同在一起做饭，由陌生逐渐熟络起来，常开心见诚，畅所欲言。

一日中午放学，家乐因事迟回住处。他匆匆踏进厨房，揭开锅盖一看，热气腾腾的锅里，有一钵白米饭，一盆豆豉蒸五花腩，一碗瘦肉，咸蛋芥菜汤。饭桌上，有一张字条写着："家乐学兄，迟迟未见回，我做饭时多做了一点，留在锅里。这菜肴是家母早上送来的，不客气。我就高兴了。"

家乐在品尝香喷喷饭菜中，感觉有一股温馨的暖流注入心田，一时想不出该怎样来报答。翌日，见面时致谢之后，便热情地邀请她参加本校校庆联欢活动。她十分爽快地应承了。参加联欢活动时，她带来台山中学的两位学友，一位是同村姐妹刘小玲，另一位是黄世杰。刘小玲开玩笑作介绍："这位是中央政府外交部长王世杰，同学们叫他做黄部长。"引得几人笑声连连。当日，观看话剧，参加营火会，直至午夜，才尽欢而散。

联欢活动之后，这两对男女的约会多起来。在校园后的珠峰山坡地，在城外通济桥头的堤岸，常见出双入对，手挽手肩并肩，漫步蹒跚。渐渐一对一对堕入了爱河，倚傍柳荫，卿卿我我，喁喁蜜语。

暑假前夕，家乐接了父亲的信，说移民赴美已经入纸，该做好准备。他遐想连连，心绪万千。在乡间，水清又清，山秀又秀，碉楼林立，条条村庄美如画。父老乡亲朴实厚道，村上有自小玩到大的兄弟，家中有心连心的阿妈和阿嫲，同学朋友中有知心人，数不尽啊，说不清啊，确实难舍难离呀！

立园恋

　　放暑假了，家乐和凤仪一起去游开平立园。一日早上，两人自荻海乘船到长沙，租了一辆单车。家乐神气十足骑着车，凤仪潇洒地坐上车尾架，浪漫地出发旅行。家乐说："年前，本校学生会组织来过立园旅行，马仔识途，大可放心。如果蹬得快，把您跟跄抛落地下，要大声地呼喊呀。否则，就像花尾渡斩了缆，火船仔减少了拖累，双孖变单吊了。"

　　"慢！慢！我落车，减少了拖累，你做单吊吧！"凤仪装出一本正经地说。

　　家乐连忙说："妹呀，怎能让妹抛下来呢！妹要是损一点皮，哥心里就会一阵阵痛呀！快快坐稳啦，抱住哥的腰间，就万无一失。"他放慢了车速，掉头看一看她，又问："你坐稳了吗？"

　　"双手抱紧腰间啦，还要怎样才稳阵呢？"她说。

他放慢了车速，说："稳当了！"然后，转换话题："快到立园了，且听哥说说立园的故事吧！"

"话说当年，潭溪有位谢圣泮走金山，在芝加哥经营药材和商行，赚了大钱。二十多年前，他派大儿子谢维立回乡扩建家园。维立在考察了美国加拿大等地庄园建设后，回国参观了北京、南京、苏州、杭州等地的园林艺苑，立意吸收各地精华，对建成一座中西艺术合璧的私家花园，有一个整体的规划。然后邀集当地园艺专家，前来勘踏地形，因地制宜，标新立异，绘图画则，精工细作，用了十年时间施工，建成现在的规模。有人说这是现代大观园的缩影。我看，还演绎出红楼梦里的爱情故事呢。"

家乐一边说一边蹬车，不知不觉到了立园门前。看看手表，车行了一个半钟头。两人走进门楼旁的泮立楼，跟看园人莲姨打招呼，送上两扎马冈糯米糍荔枝作手信。莲姨认出家乐，是曾经带队来旅行的学生哥，就说："学生哥旧地重游，拖紧学生妹的手，孖披游园，风流快活呀！"

家乐从背包里掏出一张纸，对莲姨说："这是我上次游园时，记录的浏览路线图。"跟着读出来："入园门楼——柴房——农家鸡舍——泮立楼——泮文楼——花廊——观鱼——晚香亭——毓培别墅——思源亭——风火塔——大牌坊——打虎鞭——园林——鸟巢——挹翠亭——花藤亭——玩水亭——出园。"

莲姨点头称："醒目仔，滴水不漏，依图行走，唔会荡失路呀！"

家乐与凤仪拉着手，拍拖出了大楼，踏上花廊，见廊边小运河，流水清澈，鱼翔浅底。

家乐说：立园爱情的故事，从这儿开始。立园始建时，谢维立与大老婆司徒氏一起回乡，共谋建设新家园。出双入对，有商有量，有说有笑，情也乐也。不久，司徒氏因病，必须回美国治疗。维立只身住在园内，继续执行施工。一天傍晚，他在小河边散步，观赏游鱼。这时，他默默地想，工程千头万绪，个人双手，独臂难持，身边需要有个伴侣呢！

"呼"的一声，河上小浪花中跳出一条鱼。在附近打扫的莲姨跑来，双手捧起那条鱼，说："红鲤鱼，又肥又大。"维立说："红鲤鱼知我太寂寞，是跳上龙门来做伴？善心善报，恩恩相报。莲姨，行落拾级，把鱼放到水去，放生吧。"鲤鱼下水，先直沉下小河底，随即翻身浮上水面，露出金黄的嘴唇，"咄，咄"两下，似作吻别的动作，然后摆动红尾巴，游走了。维立在河边，看水流汩汩，心里的烦闷消失了。虚虚缈缈地站了好一会，回屋里，舒畅地入睡。

维立在做梦，见在一个虚无缥缈境界中，有一少女，身材苗条，长发披肩，上穿白衣，下套浅蓝裙子，一身学生装束。向他徐徐走来，抬眼顾盼，桃腮带笑。她转过身来，衣领展开露出的肌肤，雪白娇嫩，似有一股轻灵之气，烟霞轻绕身躯，非尘世中人呀！

三日后，赤坎墟日。晌午，维立赤坎饮茶后，单身步行回家。半路上，天色突变，乌云密布，一场大雨马上要来。他急忙朝路边凉亭走去。在距凉亭那段路上，雨水洒下来。

雾时，从亭中闪出一个人，迎头直冲，来到他面前，递上一把撑开的纸伞，说："先生，遮住头顶，不要淋湿上身。"雨水正在由小到大，往头顶洒。着急中，不由分说，伸手接住伞柄，两人肩并肩，遮住这一肩遮不住那一肩，直走入凉亭。正要止步歇脚，一阵狂风暴雨横扫过来，在只有六柱顶盖亭里，绝无藏身之处。纸伞左遮右掩，已被吹破撕烂。两人只好头顶对头顶，双手扶肩相靠，对付狂风骤雨。直待扫荡凉亭的风雨减弱了，两人站起来，抹去脸上雨水，才认出了女男异性，自疚应该是授受不亲的呀。维立原先只顾避雨并不留意对方是个女的，到要说句好话："太不好意思了！多谢多谢！"

这时，女的也面色腼腆，低着头羞怯地说："天有不测的风云，人有不期的相遇。同在避雨时，无需说不好意思吧。"

维立听她出口斯文，应对大方，料是读书人。睁眼一看，心里一窒，眼前的姑娘，竟是几日前在梦中所见的一模一样，非尘世中人呀。他马上收起浮想，谦谦有礼地说："敢问姑娘，尊姓大名？何故置于此？"

姑娘见眼前的陌生人，雨中互助无拘无束，正正派派，相逢何不相识呢，便坦然直说："小姓谭，名玉英，邻乡水边人氏。在广州女子师范读书，刚毕业回乡。今日去赤坎一中见校长，申请教职。回家路上，竟遇如此大风大雨。"

维立望望天色，说："风雨无情，被打到落花流水了。大雨停，天色仍暗，又会有一场大雨，我们走为上着吧。"

这时，又一股冷风吹来，玉英躲避不了，蹲在地上，面色仓皇，打起冷颤。维立眼见，姑娘弱不禁风，也蹲下来，趋前说道："小姐，雨淋湿身，冷着了。寒舍在近处，跟我去换上干衣服，提防湿水伤寒呀。"

玉英接连打喷嚏，头疼，鼻塞，乍寒乍冷，脚步轻浮。要坐下吗，地上淌水。要走吗，全身湿透，冷冰冰，四肢无力，走不得呀。眼前的这位先生，素昧平生，伸手相助，实在难得。唯独男女之间，太难为情呢。她抱着头，默不做声。

维立劝道："受不了风吹雨打，伤风感冒了，这里逗留不得，不可迟疑呀。"他想防病救人要紧，便边说边伸手去，拉住姑娘的手搭在自己肩膊上，细声软气地说："扶紧我肩膀，我从背后挽住你的腰围，走吧！前边的立园，是我家。很快就到。"

姑娘听到"立园是我家"，立刻觉悟，眼前扶助我的人，原来传闻乡间，自金山归来建设家园的大人物呀，信得过呀！"啊"的一声张开笑脸，搭住扶助者的肩膊，随之起步。

跨入泮立楼门槛，维立马上吩咐莲姨；"你扶这位小姐到大嫂的房间，让她清洗、抹干，找套衣服给她换身。"又说："我立即生火煲姜汤。用几片生姜，青葱加黄糖，煲成一大碗，饮下去，身体就会回暖，防感冒快过打针呢！"

夜幕正临，在煤油灯橙光的映射下，室内呈现出温暖和煦的气氛。玉英换去湿水衣服，穿上奶白底色缀上红花点点的长旗袍，从房间缓步走出来。维立望去，犹如一枝出水芙蓉。姑娘双目似一泓清水，一点胭脂未涂，面颊虽然显现风雨打成的苍白，但脸孔仍带浅浅的粉红，形态格外清新。款款走来，神色自若，容色清丽，气质高雅。维立见之，脑海又浮现出那场美梦，心里在说，尘世间竟有其人呀！

姑娘见主人在托腮沉思，便趋前，说："承蒙扶助，小女自风雨路上，来到府上，得以关怀，先生功德无量。小女无限感恩。先生亲手煲的姜汤，饮下肚，很快出了大汗，体温马上恢复，确实十分灵验。"又说："莲姨借的衣服，穿起来好舒适，好暖和。唯独太贵重了，小女穿上身，不敢行出去呢。"她说完，脸颊现出点红晕，像年初一脱手的出糍，温柔绵绵，晶莹白玉上一点红，好高贵呢！

在这种场合下，维立魂不守舍，遐想联翩，差点说出，小姐就是我梦中人，爱不忍释呀！这时他控制住情感，婉转地说："小姐文质彬彬，身体脆弱，受不住风吹雨打，是重感冒了。要提防湿水伤寒，要再饮两碗姜汤，要食些中成药呢。小姐刚从广州完成学业回乡，满肚文墨，何愁职业呢？学校正放假，不是找教职的时候呀。大伤风在身，调理身体要紧。立园这里宽阔，环境优美，小姐不如住下来，休养一段，另作打算。"接着，他对莲姨说："小姐家在相邻水边乡。明日，你问明小姐家住何村何巷，去给她家里送个口信，报个平安吧！"

玉英为避雨而来，本无留宿之意。但时已入夜，雨仍在下。落雨天，天留人，更有主人好心好意留。自问出省入城读书多年，算是新时代女性，懂得为人处世，以诚见诚，以礼还礼，得恩图报，说："先生盛情难却，相敬不如从命。未知他日，如何报答呢？"

维立见她随和大方，喜出望外，对莲姨说："陪小姐上二楼大房去休息吧。我也要回大嫂房间了。"

自此，两人同住泮立楼，相敬如宾，倾心交谈，情投意合，逐渐堕入爱河。很快，缔结姻缘，芳年十七岁半的玉英成了维立的二姨太。

这时，立园的土木工程已完竣，进入绿化美化阶段。玉英在学校时，爱好文学艺术，攻读古典诗词，对园林工艺很有心得。这些，正好补充了读洋书、在洋场成长的维立之不足，为正在进行的园艺设计装饰，使整个园林能体现中西合体有了一位得力的助手。两人常常一起，勘踏地形，一起策划，然后交工程人员按图施工。在门楼、牌坊、凉亭、楼阁上，创作和选用的对联诗词，许多是经过玉英反复推敲琢磨而确定的。在这个充满诗情画意的园林中，两人的爱好、情操、愿望，表现得淋漓尽致。看，在小运河入口的晚香亭，正是玉英手抱月琴半遮面，老公随曲赏月的画图。到花园深处的花藤亭去看，米黄格子组成的大花架，美如皇冠！玉英在维立的眼里，比皇冠更美更尊荣华贵呢！紧靠花藤亭建造的大鸟巢，美妙如天堂，将聚集四方的鸟儿飞来，为这里浪漫的爱情，尽情歌唱，舞蹈。

天助人美，人随天意。芳年十八的玉英，半年后身怀六甲。就在这个时候，一直行走于中，港，美三地经商的维立，因处理在美的商务，要回美一趟。在玉英临产前，赶回家。谁料，天又有不测的风云，遇上大台风，轮船中途停航。可怜玉英因难产，在丈夫到家前夕，含泪去世。维立到家，悲痛欲绝，终日无精打采。天虽无情，维立思念玉人的情怀不断，在大花园的西南角小河边，建造一座毓培别墅，以精巧别致、回环曲折的意境，来表达对这位芳年十九的薄命红颜的永恒思念。

家乐说到这里，回头看看身边的红颜，见她掏出手帕，揞着脸低头不语，正想去安慰。谁料，她立即转身，掉头往回路走。家乐只好找回单车，骑车急急追去。下车来，推车与她并肩而行。

家乐温柔地问："妹呀，为何这般伤心呢？告诉哥吧！"

她蹒步一段路，她无限感触地说："悲伤呀，自古红颜多薄命！乡间，几多少女许嫁金山客，情爱只有一年半载，守寡大半世啊！多少美女嫁了金山客，几曾摆脱生离死别的命运呢？！"

家乐同情地说："是呀！命运对于立园的姨太，就是这么残酷！"

"哥呀！讲了立园这段爱情悲剧，太触心伤情了。我迷信，自己也是命薄的！"凤仪泪如泉涌，伤心地说。

"不会，不会！妹是幸运的，哥爱妹呀！"家乐安慰她。

"心在爱，人别离。哥快要出洋去，送哥万里行，问哥几时回？！"

乐哥想了想，把单车移到凤妹跟前，让她慢慢地上了尾座。脚踏起行时，又让她伏在背上，说："哥挂念妹，此行定早回。"

好一会，妹平静了，泪水不再湿哥的背了，哥深情地念道："但愿人长久，千里共婵娟。"

入门诀

暑假后，家乐读师范上四年级，多想读完这一年，堂堂正正拿到师范毕业证书。

开学不久，他收到阿爸的信，知道阿爷赴美时，入境未受限制，没有签证存档。阿爸赴美时，入境签证严格了起来，阿爷向当地华人买得《美国籍民在国外出生的儿子身份证明》，唐人叫做出世仔纸。纸上注明姓朱，阿爸邝沃俊改名为朱沃俊。家乐赴美的姓名改用朱家乐。他有位表弟，同年等纪，长相相似，自小一起玩耍，村人都叫他俩为孖仔兄弟。朱沃俊填申报亲属关系纸，在乡时老婆生下双胞胎，有孖仔两人。移民局就按照他的申报，批准家乐和家荣一起移民赴美。表弟本名黄金荣，改名朱家荣。

家乐出洋时，阿嫲年老体弱，步履艰辛。阿妈送家乐到达香港，就回家来照料老人家。出门时，阿嫲千言万语叮嘱：一路顺风顺水，平平安安，到达金山。上岸后，安心做工，孝顺长辈，听爸爸的话，接替爷爷，好让爷爷买舟回唐，落叶归根。她把早就备好的玉佛子挂在爱孙的胸前，玉手镯戴在手腕。踌躇半晌，把那副心爱的竹雕麻雀牌交给爱孙，语重心长地说："这副牌是我几十年不离手的玩意儿，带到外洋去吧。摸起这副牌，你就能记起，从懂事那天起，就一直扯住阿嫲衫角去，睇牌玩牌啦！"

到香港后，朱家乐和朱家荣孖仔俩，住在堂弟邝阿竹家里。第二日，找出国向导带路，到美国驻香港总领事馆去。获得签证。跟着去买了赴美的船票，预期是两个月后起航。在等候起程的这段时间，每日上午要去听向导上课，准备上岸时应对移民官的问话。下午，得闲无事打麻雀啰。

香港寸土寸金，阿竹家是个好似白鸽笼的小房间，床前放张麻雀台，就冇路可行。阿竹带孖仔俩去遛麻雀馆，开眼界。

当时，香港地打麻雀盛行，在油麻地、庙街、兰桂坊、鸭寮街等地方，麻雀馆比比皆是，可谓五步档十步馆。各馆玩牌技巧五花八门，各适其适。广府人开的牌馆打法，与四邑乡下一致。孖仔俩在麻雀馆遇到不少乡里，玩起牌来，很投契，打几个圈便成了朋友。鸭寮街麻雀馆有位老叔父，大名马强，是台山乡里。家乐初到，听他讲各家的牌风，各人的牌路，论赢道输，口若悬河，眉飞色舞。比当年恩师树南公讲麻雀经，更具牌场捞家的格局，有更多实战的经验和教训。大乡里出城，越听越有瘾。不几日，家乐就五体投地，口口声声要拜他师父。

马强见家乐的确甘拜下风，便说："我们相识时间很短，你很快就赴美去，学打牌必须一步一步来，第一步要弄清打牌入门法。"

家乐说："本人五岁跟随祖母玩牌，七岁在恩师背后闻衫领偷师，十多年了，难道不知怎样入门打牌吗？"

马强认真地说："既然你知，师父得先考考你。能否写出个打牌入门法，交来看看，及格的话，当即收你为徒。

家乐信心十足地说："好！几时交卷呀？"

马强说："越快越好啰。"

第二天下午，家乐交出一份拜师试卷。

马强接过来，读出：

简易打牌入门法

第一，先打非自己坐风的牌，不管东、南、西，北。这类牌成搭的机会很少，就算碰上也不会加一番，除非定局要做成混一色的牌。否则，留不来只会给别家上牌。

第二，次打没有相连的幺九，如一筒、一索、一万、九筒、九索、九万，因为这类牌成顺的机会少，而且这类边牌让下家吃进的机会亦不多。

第三，再打中、发、白等番子。要靠看准自己的牌势来决定。如果有六、七同类相连的搭子或对子，留起上列的番子，可能摸上一、二支番子，有做成混一色牌，或做对对胡，食大牌。但有两顺以上不同类的搭子，注定只能食鸡胡或平胡。这时，如果打七八个番子去做牌，目标太大，显然在赶胡，露了牌风，会被对方截住。

第四，要是没有上述几类牌要打出，就是一列好牌，可能打中章牌或搭子。打法就复杂了，要见机行事。中章牌以先打二、八，比打三、四、五、六、七为宜。因为二只配一、二、三、四几张牌，而三、四、五、六、七属中章牌，有十九支牌子可配搭。若然要打边张牌的搭子，尤其虽要同样搭子。比如，有一、二和四、五的搭子，或五、六和八、九的搭子，同样只求二、七，而那个边张的一、二和八、九搭子要拆出打掉。

第五，大牌可贵混一色。例如，开牌时，有二三索一只、西风一对，九、七索各一对，中发白各一只，其余只是散子。这样，西风和九索，容易碰，一、四索容易吃，就算中、发、白摸不到，碰出七索照打新章，索子已三番，单吊白板，自模，成了满贯。

第六，开局时，无心做牌，贪恋番子门风，宁打中章不放可揍番子的牌，这是走就近求远之路。

第七，只懂做牌，不理牌的死活。一副好牌在手上，久未成局，成为"金玉其中，败絮其中"。

第八，拆搭子，只顾盯住下家，不懂迎合上家弃牌，顾此失彼也。

第九，遇有碰时，想碰不想碰，遇有吃进时，想吃又不吃进，被人看穿牌底，下一步无路可行。

第十，死死盯住下家，不理对面家和下家，到头来败北也不知何故。

第十一，大牌到手颤抖抖、预备吃胡就呱呱叫。别人露大牌风，自己垂头丧气，是浮躁牌风。

第十二，不衡量生章熟章、自我陶醉在叫胡，只等尖章、幺九，一场空，为了自己叫胡，乱打乱放，胆包全盘，得不偿失。

第十三，目光短小，坐井观天。不论大细，抢先吃胡，吃十铺不足输一铺。

第十四，打到残局，不留绝章，生章也打出，不保护自己，出手成千古恨。

马强读罢答卷，笑口吟吟，提笔在卷首写下批语："有见识，孺子可教。"

沉吟片刻，然后说："徒弟拜师考试，首卷满分，师父有奖赏。打牌口诀一份。这是民间流传日久的文本，抄来抄去，错漏难免。徒弟带出外洋弟去，给大家做枝盲眼竹吧。"

家乐诚心诚意地说："徒弟多谢师父！后会有期。"

民间流传的打牌口诀：

第一，147，258规则：下家丢1万，3、4、7万基本不吃，2、5万可能要吃。

第二，牌过半局，上家开始落风子，不要碰（碰听张除外）。

第三，牌局一直不胡，最好不要动牌，要打熟张，牌一动就有吃大牌的可能。

第四，下家丢3、8万，有可能手握3、5、6、8万，打4、7万要小心一点。

第五，下家丢8、9万，有可能手中还有4、7万，打4、7万要小心一点。

第六，开始几圈，除嵌张、边张外，两头张最再拿到这种牌时，他还会打下来。

第七，手中有1万一张，2万一对这种牌型，别人丢3万，如有混（百搭）不要吃（吃听张除外）。

第八，外面风子除东风外全都见了，不能打，有可能要杠开，至少看二圈再打。

第九，外面有7万碰掉，8万见二张，9万基本上有人碰；

第十，牌开始时先丢荡张，再丢风子，但是手中风子不可超过二张。

第十一，自己无混（百搭）听张，比如2、5万，上家丢2、5万，如果你吃了可听2、5、8，没有必要吃。

第十二，单吊不要吊一张都没有见过的张，最好吊两头都碰掉，外面见一张的张子或风子。

第十三，开始几圈，有人丢东风，手中有东西风，要先丢西风，因有可能有人拿西风对，别人丢你将被轮。

论牌史

    1948年，感恩节后的一天，家乐和家荣告别亲友，启程赴美。他们乘坐的大火轮，是第二次世界大战时的运兵船。战后，出国兵家眷赴美很多，兵船改成客轮。甲板上面的阁楼，是达官贵人和海员所用。甲板下面的大统舱，分成多个小客舱。舱内架设双层洛架床。上层床位较阔，供客睡眠，停放小用品。下层堆放行李。有成千个床位，乘客熙熙攘攘，十分拥挤。

    起航时，港口风和日丽。轮船朝东南行驶，过伶仃洋，驶进太平洋深海域。风力逐渐加剧，出现惊涛骇浪，轮船摇摇晃晃，颠簸越来越厉害。晕船的人多起来，舱里呕吐声声、呻吟声不绝，有的在哭哭啼啼，叫苦连天。

    孖仔俩年轻力壮，初次出大海也有晕眩。两人闭上眼睛，倒在床上，迷糊入睡，进了梦乡。沉睡到不分白天黑夜，醒来已是起航的第三天。家乐从自己的床位下来，在舱内的通道走动，消磨时光。他走了两个圈，感觉舱内的空气十分恶浊。有几位四邑乡里携带上船的佳肴，散发出又咸又腥的异味，闻不惯的会作呕。家乐自小习惯吃这种咸汤味，此时也不能忍受，只好回自己床位上。

家乐留心大舱的洛架床，一铺一铺相连，乘客擦肩而卧，促膝而坐。同是出洋人，陌路相逢，撞口撞面时，互通姓名，算为船友。孖仔俩睡的是孖铺床位。家乐右边床的是香港商人徐富，家荣左边床是广州留学生何仁。四人都是讲广州话，也叫说白话，同声同气，邻铺邻床，同时跷足盘腿坐床上倾谈，渐渐熟络起来。

航程万里，水天一色。轮船迎风破浪，活像个大铁罐，晃晃荡荡。船舱密封，灯光微弱，充满沉闷和忧郁的气氛。偶尔，有一两声叹息和咳嗽在回响，沉闷的日子度日如年。

家乐想起阿嫲给的手信，麻雀牌消遣时光的玩意。于是，邀约邻床船友，把分隔床位的板条放下，让床位连成一片，比八仙桌宽阔，四人盘腿而坐，打麻雀解闷。

憋憋拍拍的打牌声，打破了舱间的寂静，不少船友过来，站在床前通路上旁观。一些麻雀友趣味相投，观战以致助战，在旁议论纷纭，指手画脚，斗牛逞强，欢声笑语，大舱一角活跃了起来。

四人玩牌越玩越投入，不分白天黑夜，总之玩到疲倦躺下睡，醒来又开场。有时，拍牌声响，斗牛声隆，唠唠嘈嘈，影响众人休息，海员来规劝，尽量降低声调。

航程漫长，四人一边打牌一边聊天，无所不谈。

一次，学生哥何仁问："诸位，听说过麻雀这玩意的来龙去脉吗？"

家乐摸了一张牌，说："据恩师树南公说，麻雀由孔子发明的。其三元牌的中、发、白，分别代表仁爱、真诚和孝心，或忠、孝、义。他推算，麻雀源自公元前400多年。最初，称为百灵，是吴王供妃嫔耍乐用的游戏。我在学校图书馆，曾翻阅书报得知，麻雀的起源有多种传说。"接着，掏出个笔记本来背念："比如，打马说，说麻雀源自唐代博戏打马，由于打马有马有将，所以麻雀牌就承袭了马将之名。又有一行说，即麻雀由唐代一行禅师发明。再有射箭说，说麻雀牌的箭牌原来与箭术有关，红中表示箭靶。古代射箭，靶上常用一个红色的中字；发并非指发财，而是发箭；白板则表示射失。还有，水浒说，麻将本名抹将，抹的是水浒传的一百零八将。相传元末明初，非常推崇梁山豪杰，于是以一百零八张数字牌隐喻各名好汉。凡此种种。"

家荣放下手中牌张，说："讲来龙去脉，要以书为证呀。"他转身从枕头底掏出一个本子，说："出门前，在家中藏书室翻到一本有关麻雀的书籍，在扉页上有一段话，我抄录下来，念给大家听听：一般人以为麻将是很古老的游戏，但文献中首则麻将牌具记录，要到1875年才出现，所描述的乃美国外交官吉罗福转赠给博物馆的藏品；首度有文献将此游戏名字记为'麻雀'，更迟至1894年。如今能看到的，史上第一本麻将谱《绘图麻雀牌谱》，它的作者沈一帆指出，'麻雀之始……不过三十余年'。该牌谱成书于1914

年。作者认为，麻将始于1880年前后。清末曾于南洋公学（今上海交通大学）任教的许指严于《十叶野闻》（1917）中说，在北京，麻将于光绪末叶，甲午战争结束（即1894年）后才逐渐流行。1900年，麻将才大盛，与前面讲的几个年份相近。徐珂的《清稗类钞》（1916）同样指麻将于光绪、宣统年间才盛行，不过他说麻将由太平军发明，时间比起上述首则麻将牌具记录早了起码十年，仍属19世纪后半。由此种种，可推测麻将始于晚清，可以说是近代的游戏。"

香港商人徐富点头说："两位大佬，有书为证，可信可信。"他亦拿出一香港纸剪出的片页，读道："麻将的发源地，有宁波与闽粤二说。沈一帆（1914）指麻雀之始，始于宁波，不过三十余年，继及苏浙两省，渐达北京。"他接着说："本人祖籍宁波，听家中的前辈说，宁波与省港澳，盛行打麻雀，时间都是差不多呀。"

说到这儿，学生哥何仁归纳起来说："关于麻将的来龙去脉，几位叔台所说的民间传说，报刊书本登载的资料，浅见以为，可引以为证。麻雀作为游戏娱乐玩意儿，也没必要作为一门学科去深究，去论证。今日，讨论出麻雀来源，来点史海钩沉，其实也是游戏而已。"

孖仔纸

　　轮船航行了19天，自西向东横越太平洋，绕过半个地球，靠近美国西海岸。晨光熹微，银波荡漾，船舱的播音筒奏起胜利进行曲，响亮地宣布：轮船正在驶近目的地的海域，各位旅客执齐行李，作好上岸的准备。消息传来，人们喜如雀跃，欢呼声响彻船舱。众目相睽，见女的发乱松篷，男的胡子老长，眼深面灰，印记着长时间航海的折磨。人们回想起船上的艰辛日子，不禁泪流满面，悲喜交集。

　　播音筒一响，家乐从睡梦中醒来，见刚搓过的麻雀牌仍散在床上，看看手表，便招呼旁边的伙伴，说："离上岸还有时间，再搓两铺不为迟呢。"家荣也说："相逢何以相识，相识何以能一起玩牌。万里航程，为我们建立麻雀情缘。来吧，为祝愿麻雀友谊永存，争分夺秒，再打一圈吧。"四人围坐一起，又开牌局。

　　直到播音筒播出最后的通告："轮船在三藩市海湾已停

定，驳艇马上开过来，接乘客们上岸。请各位，检查有无遗漏的物品，随时准备入境。"这时四位雀友才急忙收拾牌张，然后亲切握手告别，互道后会有期。

片刻，驳艇紧靠船舷，乘客上艇，朝三藩市堤岸驶去，很快到达移民局码头。上岸的新乡里，沿着长长的走廊，轻松地直奔入境查证大厅，等候问话。

"朱家乐。"移民官员用中文点名

"到。"家乐起立，大声应答。

"入来。"官员喊。

家乐连忙拉住家荣的手，向官员的房间走去。

点名的官员说；"只来一位。"

家乐解说；"朱家乐和朱家荣，是孖仔俩，二筒。"

官员看看桌上的名册，读出："朱家乐，朱家荣，兄弟俩，不错。这里是进行入境问话，一次进来一人。"

家乐再作分辩，说："我兄弟俩，同父同母，同年同日同时出生。口供同样。问话时，一人作答，无须两人重复，节省时间嘛。"

家乐的啰嗦，引起官员的怀疑。他用手指轻轻地轮翻敲打着桌面，问道："那末，兄弟俩一齐过来，站在房门口，让我看看，谁是哥哥？谁是弟弟？"

兄弟俩欢欢喜喜地上前并肩站立。

家乐先答："我是哥哥。"

家荣接着答："我是弟弟。"

官员朝两人望了望，立即说："噢！怎么会矮仔是哥哥，高佬是弟弟呢？"

家乐笑笑，有所准备地答道："是呀！他是细佬，自小爱争嘢吃。我当哥哥识性，总让他争赢，占便宜。吃得比我多，所以比我快高长大。"

官员笑了笑，说："原来如此吗？现在正式问话，按照次序，先哥哥后弟弟。朱家乐进来，朱家荣等候点名，进隔离房间。"

孖仔俩分别在不同房间，回答官员的问话，有关父母、家庭和个人简历等情况，对答如流，与签证记录完全相符。问毕，两位房间的官员走在一起，交头接耳。用英语交谈，不知在说什么。然后，叫孖仔俩调换房间，交换官员作问话。两位官员以同样的题目，作提问，检验两兄弟的口供。

"你家所在村庄周围环境怎样？"

"你离家到香港赴美，最后一次行程怎样？"

家乐一听，觉得易过吹灰，便不假思索地回答："我家在小村庄，只十来户人家。村前有口大鱼塘，村后是山岗，山岗有茂密的松树林，好似马颈上的鬃毛。"又答："这次来美，先到香港，是跟阿妈先到荻海，乘搭金海电船到澳门，转坐渡海电船到达香港的。"

在另一房间的官员，以同样题目发问，家荣低头思考片刻，觉得要照实作答，说："我们的村是个大村，一百多户人家。村前有道小溪，村后由茂盛竹林包抄，也叫做竹围村。这次到港不久，因祖母患病，急召回乡。来美船期临近，赶回香港，是从本村出发，到新昌，搭花尾渡。天未全亮到广州，赶到广九火车总站，坐快车到达香港。"

两位官员对照两人的口供，找出了岔子，怀疑两人来自两个家庭，孖仔身份作假的。当即决定，两人留下，等候处置。留在大厅的孖仔俩，眼见同时上岸的乡里，一个个接受问话，一个个出来走了，知道出问题了。

两人行不安坐不稳，问题出在哪里呢？刚才接受问话时，第一次回答得滴水不漏啦。问题是在第二次，问到本村环境，说到离家赴港路程，虽是实话实说，但口径不一，说出不同村，不在同一家出行呀。两人口供不一，倒霉了。两人争执起来，互相埋怨。回想上船前夕，出洋导师曾再三叮咛，在港逗留时间太短情况各异，未能逐一细说。上船后，同一张纸同行者要相互沟通预期入境时，会问及的相关问题，要准备做统一的答案。然而，兄弟俩上船后沉迷打牌。问话时，临急抱佛脚，无济于事呀。说漏口供，怨天怨地只能怨自己了。家乐呆若木鸡，坐在冷板橙上，听天由命，不由想起师范校长引用的梁启超先生的话："只有读书可以忘记打麻将，只有打麻将可以忘记读书。"兄弟俩只顾打麻将，忘记练习口供，到了金山上了岸，恐怕难出闸呢！

收容所

　　直到傍晚，移民局用车把家乐和家荣送到远离码头的三藩市郊区的一间收容所。管理员带两人到一座大楼的二层住下。

　　入住房时，躺在床的人掀开被头望了望，不做声，盖上被睡去。

　　第二天早晨，兄弟俩醒来，才看清楚，房间有6张洛架床，上层放行李，下层是睡床。原住有4人。互通姓名后，知道都是来自广东四邑。乡里情亲，便称兄道弟。

　　寒暄后，家乐向同是沦落人请教："听说，上岸问话口供不符，会被送进天使岛拘留所。这里就是天使岛吧？"

　　来自台山的黄均叔挥一挥手，说道："天使岛，英文是Angel Island，是位于三藩市海湾的一个小岛。从渔民码头朝东北望过去，可以见到在大海中的那丁孤岛。"

　　坐在旁边抽纸烟的开平司徒大哥说："据记载，由于

1882年的《排华法案》，许多移民被拘禁在天使岛上，等候入境审查，甚至被遣返。从1910年到1940年间，在小岛上停留的唐人，数以十万计。岛上设有收容所及隔离检疫站。被扣留在那里，通常要待上一段长时间。当时，美国排华政策苛刻严厉，大批唐人受到不平等的待遇。在那里，没有自由可讲，生活条件很恶劣。大约有三成多的唐人被遣返，剩下来的七成无释放的可能，有的因难以查实而被长期监禁。直至1940年，这个恶魔的小岛，被一场熊熊烈火烧毁。"

祖家在新会城的梁义兄说："如今，《排华法案》已经废除。我们所住的这些楼房，是移民局在加州的一个收容所。上岸入境时，问话发现了问题，送来收容所，等候处理。我们几人进来，好长时间了，虽未见像在天使岛那般受虐待，未受到不平等的待遇。但是，不许外出，何时能重见天日，完全不知道，只能坐等天自明，日日睡大觉。"

兄弟俩待上大饭堂去的机会，到楼内楼外走走看看。这里有3幢3层的大楼。楼内住满人，男男女女，各种民族，唐人不少，但互不相识，相互不打招呼。楼内首层，有日用品小商店、邮寄箱、阅报室、乒乓球室、休息室，等等。走出楼外，四周被铁丝网包围。兄弟俩行至南面楼出口附近，就被全副警服的门卫拦住，指着看英文的告示，意思是"到此止步，不准外出"。

两人掉头走，回到自己住的大楼。走廊上，遇见一位穿着工作服的唐人，家荣礼貌地上前打招呼，问道："叔台，我俩昨日上岸，问话之后被送到这里来。请问，大概什么时候可以出去呀？"

这位唐人用台山话回答："本人无权知道，只有问移民局才知道。"

"在这里，我们能做些什么吗？"家荣问。

"睡觉，吃饭，休息休息，等候再等候啦！"那位唐人答。

家乐笑笑地上前，试问："得闲无事，玩下麻雀，可以吗？"

那唐人直截地答："这里，不准赌博。"

家乐连忙说："不是赌博，玩两手麻雀仔，消磨时间。"

"这样吗？我去报告上司吧。你俩住几号房间呀？"

"208号。"

"我下班了，上头怎样答复，另说吧。"

第二天，不见那位唐人来回复，第三天也不见，到了第四天，兄弟俩与同房乡里商量，认为不见回复，等于默认了，不妨静悄悄地开局，试一试。不赌博，不嘈杂，不影响邻房就是。一天，两天，一个礼拜，一个月过去，无人来过问。家乐想，大概像小时在书馆玩牌那样，老师只眼开只眼闭，当做唔知吧！

风流唔知日子过。兄弟俩在收容所玩牌过日子，家乐的父亲沃俊，在轮船靠岸时刻，就从亚利桑那州旗杆镇，驶车到凤凰城，转搭机抵三藩市，准备接船。眼见新乡里上岸，经过移民局入境处，一个一个出闸了。唯独不见孖仔俩，急得像蚂蚁落锅，蹦蹦跳跳，知道出事了。当即去找律师，找亲友，商量解救办法。

申办孖仔来美手续的律师说："第二次世界大战结束不久，因战事停顿而正在复办的移民案件，积压如山。当下出国兵家眷优惠签证特别多，一个新的移民潮正在涌现。当局为了控制入境，实行严格审查。入境问口供，吹毛求疵，说漏口供，受嫌疑，就被拘留下来。在收容所等待调查的案件激增，律师要去提处一个案件，都要一年半载呢。"

当时沃俊到统管美西的沙加缅度移民局去申求，也无结果，只好回到亚利桑那州找关系，找门路。当时，亚利桑那地广人稀，正在进行大开发，需要大量人力资源。二战老兵沃俊，上门请当兵时的上司家里寻求帮助。这位上司通过法院联系加州移民局，把邝家乐和邝家荣两人的案件，转了过来，在本州作优先审理。从而，以证实两人凭出世仔纸来美父子团聚合情合理，立即准许入境。屈指一算，两人从上岸之日起，送入收容所，历时4个半月，才得解放，与父亲见面。

红岩谷

　　家荣对素未谋面的姨父认姨甥为亲子，办理自己来美承担的风险和不懈努力衷心感激。在离开收容所时，自笔记本上撕出一张白纸写道："生我者，父母；领我出洋，姨父；解救我的，义父。恩情如山，世代不忘！"

　　亲子家乐，从刚学会叫爸爸，离别十八年，脑子里对爸爸相貌完全空白。今日语天伦之乐，为天作之美。阿爸出现在眼前，他"爸"的一声，猛然扑过去，紧紧搂住，久久不放。他说："天恩地恩，孩儿永记父母恩。人情世情，亲父亲子情最亲。从此，孩儿跟随阿爸，走到天涯海角，永不分离。"

　　"好啊！好啊！阿爸走在金山路上，跟住来，开步上路吧。"阿爸深情地看看兄弟俩，说："带齐行李，上车。"看看手表，又说："现在上午10时正，自本州首府凤凰城起程，沿17号公路北走，目的地是旗杆镇。半路上，有圣地红岩谷。"

约莫一个半钟头，汽车从公路西边的岔路开出，进入颠
簸泥石路，驶向群山环抱、红石包覆的谷地。阿爹指着面前
的山沟说："这就是红岩谷，英文是 Sedona，唐人读做塞多
纳。你俩是新乡里，看看我家门前的圣地吧。"

汽车沿着盘山路行驶，红光四射的景色映入眼帘。山坡
上，是红橙橙，亮灿灿，一层一层的泥土和岩石。山谷中，
山脚是深红，山顶是浅橙，中间有层层灰白，夹杂着青草深
绿，像精心设计的千层红里间白的大蛋糕。阿爸说，这属于
沉积的石灰岩、泥岩、砾岩，是亘古形成的地质地貌。汽车
向前行驶，随着阳光照射角度的变化，岩石的颜色不断变
化。晨光照射下，岩石红透了，红得就像熟透的石榴。进入
谷间腹地，正午时刻，岩石被太阳晒成橘红。阿爸说，晌午
后，阳光偏射，岩石将透出大红大紫，变成稳重的褚红，偏
紫。到了傍晚，夕阳西照，岩石紫色沉重了，慢慢成了黝
黑，点点发亮。

兄弟俩凝神注视着那些红石巨岩，千姿百态，曲尽其
形。海阔天空地遐想，假以人间世态命名作记，寄托个人
的思想或信仰，如入仙境呢。一座座的岩石，人性化了，
拟人拟物，绚丽多彩的红岩，真是一片具有人文内涵的艺
术画廊呢。

阿爸指着如诗如画的岩石说："看！这是金钟石，那是
观音坐莲，左是仙女散花，右是八仙过海。中国的历史故事
传说不少在其中，实在离奇。"

家荣问："中国的神仙也跑到美国的山上来吗？"

姨父答："这边风光独好，神仙也移民来啰。"

沿着迂回曲折的山路驶去，可见大门框内立着大十字架的教堂。三人下车，入教堂朝圣。阿爹说："这是座岩石中的教堂，是世界数一数二拥有巨大磁场能量的圣地。有不少人来到这里，可以感受到不一样的磁场与力量。圣教堂内，磁场尤甚。不过感应的程度，要视各人的圣灵啦。"

离开教堂，去参观谷地中心的野猪镇。镇的市徽是一种外形是猪、性格是鼠的动物，叫做野猪。镇内，有用石头泥土堆砌成的古式商店，林林总总。有不少新的楼房屋宇，正在大兴土木。望山沟里，流淌着潺潺小溪，满布着郁郁葱葱的林木。坡地上，蜿蜒曲折的小径旁边，有不少新建的庐舍别墅。可以看出，这将是人们理想的避暑胜地。

三人进了一间西餐馆，阿爹说："在这里，可以品尝在大城市未必能有的Navajo牛排。这款精美的牛排，来自一个印第安部落，在海拔2000多米的高山养殖场，每年只养殖100头独特的牛。肉排来自不可多见的牛身上，质地奇特，十分可口。"

晌午后，汽车朝北面峡谷公路盘山而上，沿九转十八弯的崎岖险路，驶到一个谷顶。顶上，是一片坦坦荡荡的高地，长满密密麻麻的黄松。林中，有些积水的洼地，清澈明亮，可谓高峡出平湖。穿过林荫，便到旗杆镇。镇上公路交织、铁路横贯，四通八达，形成交通枢纽的格局。

夕阳快下山了，阿爸说："新乡里新入埠，从了解新环境开始。到了旗杆镇，先看这里的地标。"他把车驶到岩石堆叠的高地上，说："这儿叫巴杰林，位于海拔2000米的高原，有世界上保存最好的著名陨石坑，是直径1200米、深170米的天坑。据考古学家说，在50000年前，一块直径50米的陨石，以每秒13公里的速度，在科罗拉多高原砸下来，造成这个大坑。后来，人们在附近找到一块重达637公斤的陨石。"

阿爸说："旗杆镇景点很多。比如，由两位木材大王所建的雷尔丹公园，落日火山口国家公园和乌帕奇国家纪念馆等等。现在晚了，回家去，明天再看吧。"

大峡谷

　　第二天，早餐后，阿爸对孖仔俩说："今日去看大峡谷，这是世界七大奇观之一，要走两个钟头的车程。从南缘进峡谷通常先到我们旗杆埠，停下来歇歇脚，这里便成了这个观光大峡谷的门槛。"

　　汽车行驶近两个钟头，穿越了平坦辽阔的高原。这时，远远望去，似有一条桀骜不驯的巨龙，匍匐在高原的西北部。阿爸用手划个半圆形，说："这地域就是大峡谷。"有位导游过来介绍说，大峡谷国家公园的总面积为2724.7平方公里，相当于香港的整个管辖区总面积。沿科罗拉多河东西走向，峡谷的长度共249公里。两岸北高南低，宽6—25公里，谷深平均1600米，谷底宽762米。探险家们证实，大峡谷里面蕴藏着地球18亿年前的史迹，拥有远古海洋和大沙漠的各种化石。谷底河道跨越五个生物区，为1750种植物和538种动物提供生态庇护所。峡谷底有无数的激流、沙滩、瀑布、奇葩异草、虫鱼鸟兽，光怪离奇。要是从谷上往谷底走，到最后从另一端走上来，需要六七天啊。有的探险者曾经历把食物、饮水、睡袋、帐篷等背下去，沿途露营，饮食物耗费达三分之一时就回头走，因为上来比下去要多一倍气力和时间呢。

他们来到峡谷南缘一个山头的观景点，居高瞭望。原野十分宽广。一片又一片坦荡荡的高原，浩瀚无垠。在太阳照射下，正面是红色，背面是赭色的泥土和岩石，堆积成一层层的小山岗。中间一道宽坦的鸿沟，把这高原划分南北两大块，两岸陡峭，深渊万丈，气势磅礴。谷底流淌着一条闪耀着银光的小河，像一把无比锋利的长剑，由上而下把这块高地劈开，截成壁垒对峙的大峡谷。一水穿流，势如破竹。裂开的峡谷，活像剖开了大地的表壳，裸露出地壳粗糙的肌腱，显现出地球的内层，让人们看透她内脏的奥秘。啊！震天撼地之举，举世无匹呀！

三人爬山越岭，到达峡谷中心区。站在悬崖峭壁，眺望宽阔的谷间，一叠叠的泥石堆、沉积土，形成一层层阶梯、斜坡、小丘，千姿百态，随着阳光的照射，色彩不断变化，气象万千。俯瞰谷下，怪石嶙峋，杂树丛生，满目疮痍，险象环生。放眼四周，可见山坡上有不少新的建筑物正在兴建。脚下有新辟的大小通途，一个规模巨大的游览区的蓝图浮现在眼前。

晌午后，远处飘来一堆乌云，天色渐渐转暗。霎时，霞雾霭霭，峡谷间风起，飒飒作响。置身此地，仿佛脚踏浮云，飘飘欲仙，惘然不知何处是天何处为地。三人连忙下山，驱车回旗杆埠。

时值五月底，亚利桑那中部以南的城市都炎热起来。凤凰城及图桑等地，气温摄氏30—40度。旗杆镇在20摄氏度以下，凉风阵阵。晚饭后，父子三人在家里对坐，见面后首次倾谈。

阿爸问："两天来，看过家附近的风景区，有什么感想呀？"

家荣望了望家乐，耸耸肩膀，说："好凉爽，感觉到有点儿冷了。我先回房间去加件衫吧。"

家乐知这位表弟，对未经思考的问题不会作答的，就自己先说："想不到呢，在荒山野岭里，竟有这般叫人流连忘返的胜景。在荒无人烟的谷地景中，竟然蕴藏着世上罕见的远古奇迹。"

家荣从房间出来接着说："大自然给人间的恩赐，有赖人们的智慧和力量进行开发。"

阿爸说："对了，准了。这正是你兄弟俩首先要领悟到的理念。"停一停，他慢慢地说："回想小时做金山梦，在你们一样年纪，走上金山路。记当初，先到沙加缅度，在父亲的餐馆学打工。第二次世界大战爆发时，应征入伍。胜利归来，老人家年届退休。他说："六十甲子一回头，减除人生一个甲子就可以返老还童。金山之路遥遥，唐人一代接一代，不尽乡间来。第一代，淘金，筑铁路，劈山开路，披荆斩棘，吃苦受难。第二代，走前人开拓的路，有如摸着石头过河。金沙淘尽，去挖铜矿，找银矿，垦荒种植，开小货仓，开中餐馆，找到闪闪亮的金子。第三代，面前的路，由于前人的开辟、铺泥垫石，坚实起来了，大有可为。你们是第四代，是跟着老辈的屁股转呢？还是自强不息，奋发向上，沿着前人开拓出来的大道迅跑呢？"

阿爸回忆说："我开始思考自己的出路。听说亚利桑那要大开发，我过来看看，见旗杆小镇，北依大峡谷，南临红岩谷，坐落在世界上最大的美国黄松森林地带，海拔2000多米的高原，远离热浪滚滚的冲击，成为夏日避暑的胜地。到了冬天，附近有供人们游乐的滑雪场。这里交通便利，酒店、旅馆、餐馆，必将兴旺。从正居北部游览区的前景来看，旗杆镇前景可观。其时，小镇内尚无唐人餐馆。诚然，唐人闯进西人地盘来，不容易呢，唯有立志做开荒牛啦。"

家乐问："阿爸，我俩初入埠，怎样才不是跟着别人屁股转？"

家荣连忙说："等一等，我去拿笔记本做记录。"

阿爸一字一眼地说："第一，到餐馆，从巴士杯做起；第二，学驶车，熟悉周围环境；第三，学英文，入学校读书。"

"乜嘢叫巴士杯呀？"家乐问。

"明早就到餐馆上班，经理话你知。"阿爸爽朗地答。

巴士杯

　　早上9时，阿爸领着家乐、家荣俩，向星星餐馆走来。店门立即打开，欢笑声破门而出："太子爷来了，欢迎！热烈欢迎！"

　　三人跨过门槛，店员们热烈鼓掌。沃俊介绍两人："这是家荣，那是家乐，两老表。"然后，对身旁的经理黄亚明说："两位新乡里，今日开始上班先从巴士杯做起，交由经理指点，学做工。好吗？"

　　黄亚明坦率地说："巴士杯做下栏工，委屈太子爷吗？"

　　沃俊真诚地说："什么太子爷呀？刚入埠，新乡里，东南西北都未知。我们餐馆世家，后来者自然离不开餐饮行业。诚然，入行就要先识行。行行出状元，状元十年寒窗苦，方为人上人。学做餐馆，从巴士杯做起，先做下栏工，苦尽甘自来嘛！"

家乐听了阿爸这番话，点点头，走过来对经理说："明叔，世侄打算从头学起，不怕做苦工。你是我的师傅，我做得唔好，你可以像我在卜卜斋那样，任由老师用木板条卜头壳咯。"家荣在旁听着，咧咧嘴，似笑非笑。

10时正，大家饮过咖啡，换上工作服，各就各位开工。阿爸入厨房，打开炉头，点火，洗锅，切肉，擀面，调料，为开午餐作准备。

黄经理对新上工的兄弟俩说："巴士杯，英文是bus boy，唐话叫做杂工。在餐馆，有乜做乜，边度需要去边度。今日，家乐哥在餐堂跟班，清洁餐室、洗手间、厕所等等。家荣哥去厨房打杂，配合师傅做工。一个礼拜后，两人交换跟班。"

家乐跟墨西哥妹阿美的班，在餐期之前，紧锣密鼓地做各项清洁工作，洗洗扫扫，抹这刷那。餐期到了，即时清理食客用过的桌面，收拾刀叉盘碗，抹净台椅，马不停蹄地做。家荣跟印第安人阿木哥的班，在厨房打杂，洗蔬菜，切水果，抹灶面，清理炉头，刷地板，倒垃圾，工作比较粗重。

星星餐馆供应墨西哥快餐，顾客大多数是上班族，赶路的，上学的，生意兴旺。午餐期间，人头攒攒，熙熙攘攘。男女企台，给客人送冰水或果汁，点菜写单，递餐到座位，穿梭厨房到厅堂，手勤脚快，忙个不停。直至下午两时，食客才逐渐疏落。3时，员工们分头用餐。稍后，分别靠着椅背，闭目养神休息。下午3点半，预备供应晚餐，店员们在各自的岗位上又忙碌起来。餐室的巴士杯做再次的清洗。厨房打杂工，照样繁重。直至晚8点后，顾客逐渐稀少，准备打烊。9点正关门，店员们围席吃晚饭，有说有笑，似乎忘记了疲劳。饭后，约莫9时40分放工回家。

新做巴士杯的兄弟俩，回到住处，上工穿的衫裤未除，鞋未脱，就倒在沙发上，蓬头入睡。沃俊见状，心里醒悟到，兄弟俩自小娇生惯养，上岸金山少，变成做下栏的巴士杯，坐轿老爷变成抬轿佬，能否捱得下去呢？他放轻脚步入房去，搂出两张毛毯，盖在两人身上，见他们都熟睡了，自己才去洗澡。

第二日，早上醒来，为让兄弟俩多睡一会，尽量减低漱洗的声音，走路蹑手蹑脚。家乐醒了，阿爸说："巴士杯，轻工重罪，一时未适应，先做上半日，休息半日，或者做一日休一日吧。"

家乐坚定地说："在乡时，阿嫲话我知，阿爷和阿爹在外洋，做餐馆工，时间很长，手头结出茧，脚底磨成铁板呢。为赚那几个钱，汗水流尽！阿嫲听到，眼泪流干呀！离家前夕，阿妈叮嘱我，到金山去，要捱世界呀，千祈唔好偷懒，败坏家风呀！上班了，捱了第一日，第二日缩纱。阿嫲阿妈知道，一定会话，前世唔修啰，出了个败家仔啰，神阁神主牌要颠倒放啰。"他握着拳头说："我几大都唔做败家仔！"声音很大，把家荣吵醒，就没送伸着懒腰，打着哈欠。姨父和颜悦色地说："餐馆工，长命工，长命做。初初未适应，休息一两日才开工吧。"

家荣起来，揉揉眼睛，绷着面孔说："既然大佬唔做败家仔，细佬亦唔敢做衰仔啦。"他硬着头皮，跟家乐后面上班。到了第四日，实在太疲惫，腰酸背痛，撑不起身，捱不住了。

沃俊有意给姨甥台阶下，就说："旗杆镇地势高，高原气候，新乡里难适应，容易感冒，我看阿荣染感冒了，硬着头皮捱下去，会导致肺炎，那就严重啰。倒不如在家，煲包王老吉饮饮，休息几天吧。

既然姨父开声，他点了点头，表示听从姨父的话，留在家里几天，不用做巴士杯。他独自在家，思前想后，思绪万千，执笔写信给父母亲。信中有四句顺口溜：

爹娘送儿出洋来，
怎知上岸盲哑黎。
无奈要做巴士杯，
走金山实情要捱。

巴士杯做了两个月，黄经理分工，家乐跟班西人大卫，家荣跟西人女珍妮，学做企台，学讲英语。同时，到交通监理所领了两份《机动车辆驾驶规则》，回来交给兄弟俩。两人很快弄懂了，经笔试取得练习驾驶准许证。餐馆每周休息一天，经理与兄弟俩约定同时休息，一起到空地去，学习驾驶。两位后生仔聪明精灵，学了三个半天，去考路试，领了驾驶证。

　　到了8月底，当地的学校快开学了。沃俊邀请学贯中西的侨界头人邓俊叔，带领兄弟俩到附近的温士劳镇高级中学报名，入学读书。邓俊叔向学校老师介绍两人的情况，恳请加强个别辅导。又介绍与学校中唐人同学交朋友。

　　9月，正式开学，阿爸新买的二手车，让他俩驾车上学。家荣欢天喜地地说："返学有车了，黎脚仔有车代步了，唔使做盲聋黎啦。"

征入伍

1950年6月，正在高中读书的家乐，从电台播音中得知：朝鲜半岛爆发了战争，为分别支持韩国和朝鲜，美国、苏联和中国等多个国家卷入了这场战争。从1950年6月25日起，朝鲜战争逐步演变成一场世界局部地区的战争。7月7日，联合国安理会通过第84号决议，派遣军队支援韩国抵御朝鲜。8月中旬，朝鲜人民军将韩军驱至釜山一隅，攻占了韩国90%的土地。9月15日，以美军为主的16国联合国军在仁川登陆，开始大规模反攻。10月25日，中国人民志愿军赴朝与朝鲜人民军并肩作战。美国投入大量的兵力与物力。经过第一、二次战役，美军急需保证有效的兵力调配与补充。美国总统杜鲁门于1950年12月16日宣布：全国进入紧急状态，同时决定设立国防动员局，扩大征兵计划和军火生产。

形势紧张，风云变幻，前程莫测，家乐忧心忡忡，担心有日征兵会征到自己头上来。这时，阿妈已移民抵美，一家三口在旗杆镇团聚，共享天伦之乐。美好温馨的家庭生活刚开始，多么希望不要被拆散。阿妈天天在念："天公啊，开眼啦！"

为了提防万一，阿乐对阿妈说："我们祖籍是中国，归化了美国籍，身在美境。中美交战，于国于民，恐怕难能禾挑两头利咯。战争临头，子民百姓就会成为统治者的炮灰了。"

1951年秋，家乐正在读12年级，准备上大学。果然，接到国防动员局征召入伍的命令。他行不安吃不乐，找阿爸讨论了整整两天，第三天才告知阿妈。

阿妈一听，紧紧搂住家乐，呼天抢地地喊道："天公呀，睁睁眼啦！我只有这一粒独生仔，怎可以拉去当兵做炮灰呀？！真系前世唔修啰！"

阿爹说："无可奈何，无可奈何呀！家乐是美国籍民。美国《宪法》规定，国家发生战争，公民有服兵役的义务。第二次世界大战时，日本偷袭珍珠港，美国参战，我也是独生子，照样被征召入伍。家乐的爷爷无可奈何，让我当兵去。二战胜利凯旋，出国兵家眷得到来美优先权利，你母子俩也因此迅速取得签证。"

家乐接着说："阿妈呀阿妈，有权利就有义务。当年爷爷让阿爹入伍，今日孩儿应征入伍去，一定会像阿爹一样，胜利归来。"

"祈盼上天保佑，我儿吉人天相，早日凯旋。"阿妈泪如雨下，跪地拜天。

1951年10月，家乐入伍，被编入原本是专职于本土国民警卫任务的第 40 师。他先在加州的 FortORD 兵营受训。4
个月后，第 40 师和第 45 师正在准备调往韩国战场，替换受
到沉重打击的骑兵第 1 师和第 24 师。

赴韩前夕，家乐接到通知，立即到师部去。一位军官给
他看一封电报，是由亚利桑那州红十字会签发的。电文是：
"朱家乐母亲病重入院，请求儿子速回见面。"

家乐一看，心如火烧，"飒"的一声立正，举手向军官
敬礼，等候下令。

军官命令："即准回家，探望母亲。三天内，若无垂危
症状，立即归队，随军出发，奔赴朝鲜半岛。"军令如山。

家乐快马加鞭回旗杆镇，直奔医院。医生告知，阿妈由
于过度牵挂儿子，流泪过多，连日不思饮食，身体孱弱，虚
寒失火。近来，旗杆镇气温急剧下降，老人家着了风寒，高
烧不退。

家乐来到重病房，大叫一声"阿妈"，跨步上前，俯伏
在床沿，痛哭流泪。

原先神智有点迷糊的阿妈，听出熟悉的一声，睁眼一
看，亲子在跟前，马上清醒过来，含泪泪诉说："噢，阿乐
呀，我的心肝，跌了落地的心肝呀，捡返来了！"

家乐忍住泪水，说："师部特别准许，孩儿回来探望阿
妈。期望阿妈早日复安康，复安康！"

阿妈眼见儿子在跟前，心情放松了，开始进食，振起了
精神，略露微笑。家乐安慰她说："师部的长官说，这趟出
兵韩国，希望时间不长。当兵的在前线，采取记点制。记足

73

36点，算完成兵役，可返美国，回家咯。"

阿妈听爱子这么说，当即喜出望外地问："乜嘢是36点呀？几时能记足36点呀？"

家乐对记36点，没有实践，心里也不大清楚。但为了让阿妈欢心，只是循长官所说，摘取能回家这一点作答："记足36点，快者9个月，慢者1年吧。"

"最快要9个月呀？！你讲长官听，阿妈日日挂住我，唔吃得，唔瞓得，恐怕条命等唔到9个月呀！好心啦，减少几分，让你提前回家啦。"

儿子知阿妈见识有限，不可作解释，沉默不语。

阿妈以为乖仔不说话，沉默就是应承，便妙想天开地说："醒目仔呀，总之照长官说，到9个月时，36点当作36着，走为上着啦。"

家乐心里明白，军纪严厉，只好向上望望，抬抬头。

1952年1月，家乐随40师出发，到韩国前线，编入重炮营。营长宣布规定：在前线作战，每月记4点，9个月便可回国。

营长见家乐个子小，操作重炮和托炮弹，力气不足。知他在餐馆出身，便调他到炊事班去，烧水做餐，人尽其用。

家乐想到，炊事兵每月只记2点，便苦着脸向好心的营长求情说："我愿意发挥自己的擅长，做炊事兵，但这一改变，回国时间要推迟一倍呀！给我求求情，记多点啦。"好心营长又向上反映，修改为在前沿执行任务的炊事兵，每月记3点。家乐拍掌称赞"营长心地好！阿妈话，好人有好来报呢！"

74

朝鲜半岛的春天，冰天雪地。深山野岭的前沿阵地白雪皑皑。此时，战争正处于拉锯状态，双方边打仗边谈判，打打停停，停停打打。战地上，有时炸弹声轰隆，尘土飞扬，战火连天。有时没有动静，鸦雀无声，死沉沉。驻守阵地的炮兵，蹲在战壕里，上司有令，就跑出来放炮。放了几炮，又缩回去。在大掩体里的炊事兵烧水做餐，送餐去到前沿，冒着枪林弹雨，出生入死。

晚上，家乐想家，挂念阿妈阿爸。在萤火下，他掏出日记本自行记点数计算，离"走为上着"实在有多久？他一点点在计算：2点、3点、3点……数着数着，忽而想起小时候玩麻雀记点的情景，便独自发笑。

1953年7月27日，双方在板门店签订"停战协定"。家乐经历了18个月的战火洗礼，军阶3级，服役期满，离韩回美，退伍复员。9月初，他踏入家门，出现在阿妈面前，整个天空全亮了起来。

阿妈欢喜地说："自从和平谈判开始，我天天念，背熟几句口号：世界和平、民族复兴、国家富强、安居乐业、幸福无边。"

阿爸在旁笑着说："其实是，阿妈跪地拜天，每日祷告念经时不忘加的几句。"

阿妈点头又念："菩萨保佑，金山顺利，乡间繁荣，家门旺相，子孙昌盛，心想事成。家乐早日成家立室。"

一家三口团聚，乐也融融。

麻雀缘

家乐当兵时，阿妈的心日日打辘轳，埋怨自己不早为独生仔"扯埋天窗"。她提心吊胆，怕人万一发生意外，阿仔有什么三长两短，岂不是断了继承，熄了香火，那前世唔修啰。如今儿子归来，成家立室，真燃眉之急呀。

一日，阿妈对家乐说："昨晚，观音菩萨梦：天官赐福，新抱入门，阿爸阿妈洗脚上船。"她望望爱子，低头不做声，从腰包掏出一张纸，叫他读一读："来美时，你外祖公给了一个锦囊，到你接新娘时，才打开看。"

家乐接过来折叠的宣纸读出：

睸新娘三字经
蔻年华　似朝霞
眉目秀　像月牙
黄蜂腰　肩微叉

好行状　会说话

打算盘　唔会差

识裁剪　懂绣花

性温柔　笑哈哈

合眼缘　问婚嫁

"记住了吗？"阿妈提高点声调问："照三字经去睇女，记得吗？"

家乐文不对题地答："记得了，十足十咯。"其实，他一边读三字经，一边对照着自己心爱的刘凤仪呢。

他心飞向远方。妹妹呀，你在何方？哥哥寄出那些信，为何不回呀？都收不到吗？还是因为哥一上岸入了收容所，延误了与妹的联系呢？是因哥被征入伍派往韩朝战场，当成了美国兵而不能联络呢？哥真想回乡来，找妹妹说个清楚吧！阿妈正在催哥去睇女，其实我早就睇中妹妹啦，去睇哪个女，能比得上妹呀，能令哥钟意？！老天爷呀，可知男女之间的感情，到了相互痴情，就会成为共同恪守的情操，山盟海誓，海枯石烂，不变心呢！

在旁的阿爸，看儿子表现，料其另有所思，就劝说道："来美前在乡间，在与女同学来往中，是有合心水的对象吧？就算是有，离别已七八年，十年人事九更变呀，思想感情不会一成不变的。心包肚皮，知人脸孔不知心呀。当今，风云变幻，外洋与乡间，成了两个世界，两种生活方式。在外洋的难进去，乡下难出来。尤其是你曾经当过美国大兵，你敢回去吗？我看，就算一方有心，另一方有意，也难成双成对呀！"

这时，家乐虽对心上的人难舍难忘，但听阿爸一番话，觉得符合实际。自己是独仔，父母要饮新妇茶实在心急，也是无奈，于是将就地答："去哪揾呀？"

阿妈马上答："返香港去，亲戚朋友肯帮忙呢。"

"几时去呀？"

"你肯去，即刻订机票。"当日，阿妈托在加州的疏堂三叔订了票，自旗杆镇驾车到凤凰城，转洛杉矶飞香港。

起程前夕，三叔来电说，到洛杉矶来，有好女介绍。

母子提前到洛杉矶停留两天，由三叔引线，去拜见台山李正大哥。

见面时，李大哥真诚地说："家有亲小妹，年方十八，在香港闲居，想找个金山客。"

阿妈接过小妹的照片，记下了联系电话，说："到香港，尽早约小妹见面吧。"

"今晚，我去电告知小妹，等候。"李大哥高兴地说。

母子俩到达香港，仍住在九龙的阿竹家。这时，家里有房有厅，开台打牌，比以前方便多了。

第二日早上，李小妹就来电话，邀约见面。

阿竹接电，说："金山少，昨晚落机。眼屎麻麻浆就开台打牌，玩到天亮。现在倒时差，一上床就睡着呢。过两日，再来电话相约吧。"

过了两天，小妹又来电话。阿竹的家姐阿梅接电，说："金山少，昨日外出打牌，未返来。"

　　"几时返呀？"小妹问。

　　"讲唔定。"梅姐答。

　　小妹见去电两次相约未果，心里有点不大高兴，说："金山少，一下机就顾住打牌。哪里有心见面呀！"放下了话筒。

　　阿妈回来，听梅姐说小妹又来电，她马上回拨电话，对小妹婉转地说了些客气的话。

　　小妹下了气，问："几时能见面呢？"

　　阿妈见小妹确有诚意，自作主张说："今天是星期五，两天后星期日，上午11点，在珠江酒家二楼见面，我来订座。好吗？"

　　"好！一言为定，不见不散。"小妹爽快地答应。

　　当时，未见阿竹和家乐回来，阿妈请阿竹妈和梅姐妹分头打电话，上门上户去查询在九龙的亲友。找遍附近的麻雀馆去，都不知两人的下落。到了星期日上午，唯有媒人上轿，阿妈和竹妈提前到茶楼去，留梅姐妹在家等候。

　　到时，小妹满心高兴来赴会。阿妈见是个靓女，也接近三字经上所言。未见家乐出现，她心里如火焚，对小妹说："快来了，快到了，等一等，再等一等。"说完就给小妹斟茶劝茶。浓茶冲到淡，客气话说到尽，要见的人仍然无影无踪。竹妈坐不定行不安，楼上楼下走下走上，不断抱怨说，不知阿竹把家乐带到哪个神潭鬼窟去了。

　　两个钟头过去，石头也要起火啦。小妹脸色涨红，气鼓鼓地说："你们的金山少，玩世不恭，见面了，也冇用啦！"她耷拉着脑袋，跟着同来的阿母，头也不回，下楼走了。

直至星期一中午，阿竹和家乐不慌不忙回来。竹妈追问："鬼打！这几天，去了哪个鬼窟呀？搜遍整个九龙，鬼影都唔见。邀约李小妹来相睇，在茶楼等到水冻茶凉，人走净呀。"

家乐照实说："过海咯，到港岛马强师父家去。阔别几年，师徒相见甚欢。刚坐落，三句不离本行，水未滚，茶未冲，就开台打牌。师父年已八张出头，仍精神矍铄，边搓牌边讲牌场新趋势，高瞻远瞩，听出耳油。就这样，没完没了，玩了几天啰。"

阿竹说："来相睇？谁睇谁？乐哥要睇新娘，心中有数。真系庙祝公唔急，菩萨急，谁来插香呀！"

阿妈怒气未消说："在罗省跟李大哥讲定，下机迅速见佢小妹，家乐听见的。这几天，只顾打麻雀，太过冇担当了！还说什么用梁启超先生的话来约束自己，心肝俾狗噙了吗？"

阿妈提起梁启超的话，家乐似受触动，叹了口气，说："又是只顾打麻雀，忘记睇女仔，冇老婆娶啰。"

阿竹妈将话就话，笑着安慰说："君子好逑，靠缘分，唔愁冇老婆。"

隔两日，中午，牌局刚开始，一位少女姗姗而来。阿竹妈喜出望外，迎接进内，大声说："玉清呀，为何等到今日，才肯来呀？阿姑望到眼毛长了啰。"

那少女温柔地答："早就讲大姑妈您知啦，补校大考嘛！以前在乡下读初中，英文学不到几句。来香港入英文补校，大考最难应付。半个月来，洞起床板，练写练念，直至天光呢。昨晚才考完，松口气，就过来啦。"

阿竹妈朝房里喊："阿乐妈，出来见面啦。"接着，牵着少女的手，朝家乐那边行去，说："这就是李玉清，我最爱惜的侄女，读书聪明，性格开朗，心地善良，温柔贤淑，待人真诚，能说会道，牙齿当金。"

玉清脸红红，羞答答地说："大姑妈的说话，大顶大顶高帽笠下来，真唔敢抬头来见人啰。"

阿乐妈房间出来，与玉清打个照面，见是一位亭亭玉立的少女，脑海呈现三字经的开头语："蔻年华，如朝霞，眉目秀，像幅画，腰苗条，肩微叉。好行状，合眼缘。"当即心随口出："玉清，靓女，好女。"

玉清谦谦有礼地说："大姑妈话，世伯母与家乐兄长，不远万里，由美国归来，赏光至爱亲朋，难能可贵，幸会幸会。小女初出茅庐，才疏学浅，感激之余，惟望不吝赐教。"

玉清这两句得体的话，说得阿乐妈喜上眉梢，随即答："相见甚幸，日后，望玉清姑娘，常来常往。"接着，对阿竹妈说："我俩上街市去，买些海鲜，斩些烧味，大家一齐吃餐饭吧。"

玉清说："世伯母呀，不客气为好。等会，我入厨房去，帮手梅姐姐，洗米煮饭吧。"

出门时，阿妈对家乐说："不要只顾打麻雀，忘记招呼玉清妹妹呀。"又对玉清说："唔使客气，过去坐下来，倾倾计吧。"

刚才，玉清与阿妈对话时，家乐听着听着，觉得此女能说会道，好模好样，媾得过呀。阿妈说了，他乘机放下手上牌张，起身去挪了张座椅，放在背后，礼貌地请玉清过去坐，问："钟意玩牌吗？"

玉清坦率地答："香港地流行打牌，小妹随大流，学着玩。在座各位大哥都是高手，肯教小妹学玩，求之不得啦。"

家乐听她说来，对打麻雀有兴趣，便说："既然钟意，就坐埋来，闻衫领，皇天不负有心人呢。"

原来大姑阿竹妈早就说好，给眼前的这位金山少做媒的，玉清来了，家乐似一见钟情起来。两人靠近坐着，无拘无束。玉清表示说："学校放假了，得闲无事，我就上门来。闻衫领，学玩牌，好吗？"

阿竹看在眼内，明白两人搭线了。他拈起一张牌，拍一声打出去，兴高采烈地喊："碰！一披。好牌！天官赐福，下架注意，快叫胡啰！"

这幕双簧，是阿竹妈在幕前弄耍，阿竹在幕后导演的呀。自阿乐妈放声气，为接新妇。阿竹妈在第一时间，把玉清的年生给阿妈。家乐阿爸借订货取货的机会，向在罗省经营杂货店的玉清大哥大嫂，问了姻份。这时，玉清在香港，一面补习英文，一面跟二姐丈学裁缝，与阿竹妈往来密切。阿乐妈根据阿竹妈提供的情况，别心裁自编"睇女三字经"，试探儿子的心意，只候两人是否有眼缘。到港后，阿竹静静地把葫芦里卖的药，向家乐一五一十说了。故意带着家乐，去马强家打牌，等候玉清前来。

去伪存真，拉开了家乐与玉清的真情实戏。自从这天起，两人日日见面，打牌，吃饭，行夜街。手拉手，倾心交谈，互诉情怀，情投意合，定下姻缘。

婚礼在香港举行。礼仪照足乡间：揽糖、换帖、抬酒米、拧炒米煎、送礼饼、封礼银、送礼饼、备家妆、选首饰、裁礼服、交戒指，全盘照足。

婚宴设在富丽堂皇的半岛大酒家。在港地的宗亲世乡谊200多人应邀赴宴，盛况空前。行礼后，闹新房的节目有：猜枚、蒙眼找新人、辘床果、交杯酒、吊咬橄榄等等。接着，打麻雀，开局10台，陪伴新娘新郎的10友，一位一位上场，玩一个圈，直玩到天色发白，然后花烛洞房。

民歌手方纪唱起夹房歌：

龙凤结新彩，
龙凤被同盖，
龙头昂起凤尾翘，
龙凤相配育后代，
龙凤会，
龙飞凤舞闯四海。
龙子凤孙栋梁材，
龙楼凤阁耀万代。

儿女债

　　婚礼后，新娘、新郎、新家婆三人，自香港飞经东京，到达罗省。新家翁、大舅父舅母等亲友，到机场迎接。当晚，在唐人街龙凤大酒家摆设喜宴，宴请亲友200多人，满堂喜庆，热闹非常。第二天清早，四人飞到凤凰城，乘车回旗杆镇。

　　晌午时分，汽车自市区17号与40号公路交叉点，驶入市区，朝西北方向驶上高地。这里，别墅式住宅，鳞次栉比，整整齐齐。汽车在一间砖木结构的大屋前停下来，到达了邝家。

　　新娘踏入家门，见大厅有几张八仙桌和靠背椅，靠墙两边排列着长的短的沙发。墙上悬挂着的镜框，镶满邝家祖先大相头和亲属大小相片。客厅两边有4间房。后头，左是厨房饭厅，右是浴室洗手间。面对这宽阔的住屋，新娘回想在香港所见，多数人住的居屋、住房、劏房、棚屋的状况，说："一家四口能有这么大的住屋，等于香港六七家平民的住房呀！"

新娘子步入新娘房，刚抬脚，煞然止步，叫了一声"唉唷！"紧跟在后的新郎哥，随即起脚抢在前头，见有一只蟑螂，从床底爬出，摇头摆爪。他连忙拿起桌面一本杂志，"扑"的一声用力扇过去，蟑螂被打得稀巴烂。他随手撕下那页封底，把蟑螂捏起，出去丢掉。

新家姑闻声，自隔壁房间快步过来，说："阿嫂，不用惊慌。母子俩离家快半年月，冇请人打扫和除虫。老爷全副精神在餐馆，早出晚归，哪里有心顾及家里。现在好了，家里多了家嫂一把手，邝家有福呀！"

新郎哥接着说："有福有福，连大床都冇，享什么福？"随口唱出粤曲滚花序："嫁女连大床"，道白："即刻去买大床，享福在床。"一连几日，三人上家俬商场，购置新家具回来，同心协力除旧换新。半个月后，全屋大改观，焕然一新。

这时，餐馆生意兴旺，家事虽多也得放下。三人每日跟阿爸一起，到餐馆上班去，家乐学主厨，玉清学收银，阿妈洗菜切沙拉。玉清聪明伶俐，在香港补习过英文，很快成了称职的收银员。

一天中午，玉清在柜面点钱，突然感觉乍寒乍冷，胸闷，恶心，想呕。她急忙跑进洗手间去。黄经理连忙告知家乐。阿妈听家乐说，立即到洗手间，见她对着洗手盆，"恶！恶！恶！"吐白沫。阿妈心里有数，上前说："吐吧，吐吧，吐出来就舒服。"一会，阿妈扶她到餐室，斟杯热开水给她，漱了口，喝两口，让休息。一会觉得不碍事，回到柜面继续工作。两个钟头后，又出现同样情况，又到洗手间作呕。晚餐时，不思食了。第二天，依然如故，家乐带她到医院妇产科做检验，邝家第五代金山少快要降生了，多么令人振奋啊！

连日来，玉清拣吃，喜欢酸食，厌油腻味，不宜嘈杂。大家都劝她留在家里休息，收银交回黄经理吧。她眼见餐铺各人从早忙到晚，一个人在家，蹲不住，闲不得，挺着一日比一日胀起来的肚子，坚持跟随家乐上班，直至分娩前5天，才遵医嘱留在家休息。

新生男婴，名建儿，白白胖胖，笑口常开，合着眼睛像一道弯弯的月牙，长相是爸爸翻印，人见人爱。落地一周，妈妈带到餐馆来，店员争着抱争着吻，成为众人的手上宝贝。满月之后，由阿妈怀抱着，每日依时上班，安静地躺在手挽睡篮里，在柜台旁，望着妈妈收银。时间到了，阿妈洗洗手，抱起他，把奶头放到小嘴唇。该饮牛奶了，阿嫲把牛奶瓶送来，吮到饱饱。想睡了，阿嫲抱他到餐室安静角落，轻轻地摇着手挽篮，唱起自编的顺口溜：

> 餐馆仔餐室长大，
> 阿爷炒锅好手艺，
> 阿爸炉尾油赖赖，
> 阿妈收银好枚齐，
> 阿姨锡你莫闭翳，

阿嫲嘞孙笑眯眯。

餐馆仔，餐室长大。餐馆好捞，餐馆佬好命。星星餐馆客如云来，邝老板的嫩娘报喜连连，10年抱了5个。财丁两旺，不容易啊！

为了做生意，邝家老老少少，成年累月，起早睡晚，尽心尽力。10年来，少放假，少休息。这年7月4日，美国独立节，接着是周末，一连三天长假，举国同庆。邝家趁机歇一歇。邀约亲友开派对。

吃了早餐，阿爸在后园，整理长期不用的烧烤炉。阿妈在厨房调配料。家乐清洗麻雀台。玉清在房间给伢伬仔喂奶，大家忙起来了。

"姨父、姨妈、孖仔哥、表嫂、节日好！"家荣走进来，笑口吟吟。韩战那时，孖仔弟同时被征入伍。退伍后，回旗杆镇，自立门户开餐馆。成家立室后，住在相邻的屋区。各顾各，生意忙，孩儿缠，串门机会很少。

"好，大家都好！孩子呢？"姨父问。

"两家孩子在门前，踩滑板，骑三轮车呢。"姨甥答。

"表嫂呢？"又问。

"她在锁车，跟住就到。"答道。

"Hi！Hi！Hi！"话音先出，人未出现。

"睇！睇！睇！有乜可睇呀？"厨房的阿妈先开声。

"来！来！来！睇牙瓦仔吗？"玉清连忙抱着婴儿

出来。

"你睇，你睇，你睇！好像吹水那样，长大了。你睇，肥突突、白雪雪，摘块蕉叶垫屎忽啦！"

"摘块蕉叶垫屎忽，当作出糍吗？我家不论男孙女孙，是用银行存折垫屎忽呀。三男二女，帝王命，一出世，一人一个银行户口，储蓄了教育基金呀。"阿嫲提高嗓门响亮地说。

阿爷马上咳了一声，心平气和地说："天官赐福，家门有幸，儿媳好命，三年抱两，十年，三男二女。人说帝皇命，我话是雀仔相。五张口，喂到几时才饱，几时才毛长翼硬，自己揾吃呢？"

他呷了一口茶，慢慢说："古语话，牛耕田，马食谷，父赚钱，子享福。一百年来，唐人走金山，做黄牛做骡仔，披荆斩棘，劈山开路。先辈们摸石过河中，摸索着靠中餐馆来谋生的途径。经营中式餐馆，唐人在短期内上手，见成效的职业，是新移民的首选。新乡里上岸，从巴士杯做起，帮厨学师，自立家庭式餐室，到经营茶楼酒家，成了大多数新乡里发家致富的必由之路。从20世纪二三十年代开始兴建，开平台山乡间小洋房，碉楼，不少是做餐饮业的乡里建起来的。"

他招呼媳妇玉清行前，接手抱住小孙儿，语重心长地说："餐馆业与餐馆佬，如鱼得水。哪里有中餐馆。哪里有唐人。餐馆经营的好坏，显示了在那里唐人是否有所作为，能否安居乐业。这些年，各位来到这个多见树木，少见人伦的山沟谷地，开拓餐饮业，各有建树，值得安慰。近来，大家说，星星家兴业旺。自问，靠星星餐馆，养活一家九口，不过是浅水养田螺。三男二女生于餐馆人家，过些时日，依然故我，靠几尺地皮，皇帝命难免要走乞儿路呀！"

"啪！啪！啪！"刚进来的邓俊叔一边鼓掌一边说："沃俊兄，餐馆业大佬，站得高，望得远呀。"

玉清上前去，抱回小儿子，说："爷爷的话，伢佢仔未会听，长大要懂呀！阿爸阿妈会告诉你们！餐馆的命运，就是你兄弟姐妹的福分呀。"

"手持锅铲，心想帝皇命呢！老豆养仔仔养仔，老豆一生儿女债。"家乐说。

三男二女的嫲嫲大声说："都准备好了！今日的派对，烧烤到后花园。打麻雀在大厅。各有所好，各就各位吧。"

雀友会

　　大峡谷山区周边几个小镇，来自台山开平的二三十位乡里，多数是开餐馆，有几户是开杂货店，为餐馆供货。乡里间，常来常往，邻里相帮，休戚相关。旗杆镇老字号星星餐馆，成为乡里聚首的好地点。老板重乡情，喜联谊，周末空闲，开设牌局，搓几个圈，谈天说地，为这山高皇帝远的地方，增加生活乐趣。习以为常，形成一个自由自在的雀友会，老友记逢时自动出场。

　　一个晚上，麻雀会又开场，人多了开三张台。边筑四方墙，家荣边问："今日，打几大呀？"

　　邓俊叔说："余老板话事吧。"

　　杂货店老板余行叔，说"五十文为底，好吗？"

　　家荣说："余叔最知行情，话怎就怎啦。"

　　家乐问："行叔早日去凤凰城，打探有乜新闻？"

　　"新闻多箩箩，从何讲起呢？"

"讲时势啦，识时务者为豪杰嘛！"

行叔轻轻地咳了两声，然后打开话盒，说："话说亚省，北面是高地峡谷，中南部大沙漠，沃土大片，资源丰富。州政府为促进大开发，实行低地价、低税收、低工资等政策，吸引投资。近几年，用水、供电、交通运输等基本设施建立起来，带动了各项建设步伐。每趟下凤凰城，可见日新月异呢。啊！高楼平地起，商店超市星罗棋布，住宅栉比鳞次。城区大大扩展，人口大大增加，百业旺兴，前景可观。"讲到这里，行叔打火点烟喷云吐雾，思考说下去。

家乐知行叔在乡读过几年私塾才出洋，便从四书中念一句，启发他把话题拉近点："孟子见梁惠王，王曰：不远千里而来，有利吾国乎？"

行叔笑了笑，回了一句："子曰：开发凤凰城，有利旗杆镇，是吗？"

行叔说："有目共睹，几年前，旗杆镇不过三几千人，跟随本州大开发。已上万人啦。大发展，必将出现。"

邓俊叔说："近日参加州教育委员会议，说坐落旗杆镇的北亚利桑那大学，列为第三州立大学。从下学期起，大学生将增到万人以上。"

家乐拍地打出一张牌，高兴地说："照邓俊叔说，旗杆镇将成了大学城。餐馆扩大，为大学生服务，唔驶拍苍蝇啦。那时，牌局可以打一百元为底啦。"

哈！哈！哈！

这次雀友会过后，沃俊在麻雀台上，听老友记的谈论，自问跟不上形势了，应该交手后代。他对家乐说："经营餐馆，如逆水行舟不进则退。大势所趋，旗杆镇要发展，餐饮业不该落后。你有什么想法吗？"

家乐早就想到，星星餐馆位于市中心，铁路公路纵横交错，中间有加油站和烟酒零售店，南北两头是学校区，四围商店酒店密集，从早到晚人来人往，是发展餐饮业的好地头。阿爸一问，他就胸有成竹地说出，把与餐馆相邻的几间空铺连接起来，扩建成一间大餐厅。

父子所见相同，立即行动。家乐马上找空铺的业主商谈，订立租约。接着，找工程师绘图划则，向有关部门申报。获批准，马上动工。不过3个月，扩建工程全部完竣。

山城旗杆镇，小星星扩建成为金星大餐厅，消息传遍北部山区，前来参观的中西人士络绎不绝。远远可见，一座崭新的建筑物，宏伟壮观，美轮美奂。外面看，正门有8条大柱拱托，两旁一字排开12扇花窗墙壁。入去，迎面是宽阔的餐厅，古色古香的布置装饰，美观大方。厅左边是酒吧，摆着饮酒用的高蹬椅。往酒吧旁边拐进，曲径回廊，蕉林葵丛下，设有一张张咖啡台和躺椅，舒适宜人。大厅的右侧有排优雅的厢房，当中有标名麻雀室。餐厅后座是大厨房，全新的炉头、灶面，垫台，锅锅镳镳，一应俱全。

半桶金

金星大餐馆扩建完竣，筹备开张，老板沃俊伯召开会议。

玉清问："金星大餐厅，能摆多少客位？"

"客满，238。"家乐答。

"新开张，靠什么招来食客呀？"

"一靠广告，二靠厨艺，三靠服务。"

总管家乐说："距感恩节，还有大半个月。应节新张，行吗？"

总经理黄明说："应节开张，本是最适宜。唯独感恩节，叫做大食节，唐人西人在家里做大餐，大饮大食。当天上餐馆的，为数不多呢，"

"那就感恩节前三日，隆重开张，立即准备，可以吗？"老板沃俊拍板，接着问："人手够未？"

"厨房12人，楼面12人，共24人，还未来齐。"总管说。

老板说："人手一定要齐。开张前两日，新老员工一起集训。以老带新，望在座各位以身作则，带好新手。"又说："旗鼓先行，大造声势，广告绝不能悭皮。"

总管问："开张广告，几时可以打出？"

总经理答："已联系好本地报纸和电台。下星期，先出开张预告。菜牌印好，扩大广告，介绍特色菜谱。"

老板说："力不出不为财。开张前，上门去请客。"

总管说："新张大喜庆，三天大请客，同时抛出新张大特价。"

总经理问："打算邀请多少人？"总管答："请客230人，计划分三批进行。"他拿出一份请客名单，一份开张优惠办法，交给总经理。

总经理看后，宣读：

第一日邀请的有：镇长、议长议员、本郡郡长、警长、卫生局长、卫生督察、财政局长及这些单位与餐饮业关系密切的官员。当地中西社团领袖、社会名流、侨界人士，等等。宴会上宣布：开张半年内，被邀请的这些部门或社团，举办派对、酒席，7折优惠。慈善及募捐活动，所收餐费实行五五分成。

第二日邀请的有：当地工商界大亨，餐馆业的关系户，包括西餐馆、中餐馆、食品供应公司、超级市场、酒店旅店、旅行社、游览区、加油站等老板或代表。宴会上，每人送免费月券四张，持券惠顾，7折优惠。

　　第三日邀请，大、中、小学校长和教师，学生会代表。大力宣传，本餐厅准备热情为学校师生服务，每日供应质优价廉的学生碟头饭。学校如有较大的活动，如巡行、集会、网球赛、田径运动、毕业结业派对等，餐厅供应廉价自助餐，或助庆礼物，如赞球鞋、太阳帽、波恤等。经常欢迎学生来打工，赚外快。

　　最后，大老板沃俊说："记住餐饮业的行话：你肯俾客人食，客人才肯俾你吃。小钱唔出，大钱唔归呀！我在厨房，负责推出价廉物美的菜肴，包君满意。"

　　大请客一连三天，门前张灯结彩，锣鼓八音喧天。总管、总经理及服务员全体出动，列队门前欢迎。他们热情招呼宾客就座，奔走于筵席间，推介各项优惠办法，预订酒席宴会办法。当场就有退伍军人会、国际狮子会、扶轮会、北州立大学教师会、学生会等等，预订了圣诞节、新年会、结业礼、毕业礼派对，共28席酒菜。

　　开张后，金星大餐厅很快成了一个学生之家。大学生们经常到餐厅午餐晚餐、温习功课。一个周末，学生就餐的白饭，卖出380碗。

　　第二年感恩节，全家团聚，吃火鸡，收银的掌柜玉清高兴地说："金星大餐厅旗开得胜，一年收入半桶金，比老一辈淘金还好呢！"

飞行餐

　　春节临，年三十晚，金星大餐厅员工团年，还邀请了旗杆镇及附近的乡里，一起吃团年饭。菜式有：明虾大沙律、鱼翅三丝羹、鲍鱼蒜蓉豆瓣、海参扒菜胆、当红炸子鸡、发菜蚝豉猪手、挂炉脆皮鸭、清蒸鲈鱼。席间，乡里们对金星大餐厅，在远离省港澳的峡谷高地，烹饪出地地道道的粤菜，咋舌惊叹。老朱叔说："完全可与凤凰城的中式酒楼媲美啦！"

　　大餐堂筵席排满，左侧两间厢房麻雀室另开5桌，饭后开局。沃俊伯来到麻雀室，举着酒杯说："在这个除旧迎新的时刻，邝氏父子公司向大家拜年，祝福大家一年胜一年！在过去的一年，金星得到各位的鼎力扶持和具体帮助，表示万分感谢！今晚请大家饮多杯。牌局开始，胜利！一个接一个，胜利！"

　　家乐同时举杯，感慨地说："各位老友记，长期以来互助互爱，有事共当，有福分享，多么宝贵呀！金星大餐厅今日，体现了我们乡里们的隆情厚谊。记得吗？起初，餐具欠缺，各餐馆立即腾出送来；人手不足，随叫随应，跑来顶班；油炉赶不及，即刻开炉，马上开炉炸好，送来应市。兴旺时，真是一家金星在开门，几家餐馆在联营呢，千金难买乡里的亲情呀！"

沃俊母进来插话："记得乡间的打更佬念，提防火烛，妯娌和谐，兄弟和顺，和气生财呀！"

快餐馆老板老朱叔说："曾饮潭江水，现住大峡谷。可比本是同根生，从来不同相煎呢。旗杆镇的乡里间，从未发生过争吵，抢生意做。可谓大有大做，细有细量。金星扩张以来，镇内及附近几家快餐馆，照样排长龙嘛。"

邓俊叔说："现在，本州大发展，大兴旺。你们看，旗杆镇的大街上，上班的，返学的，赶路的，熙来攘往，人头攒攒。依我看，旗杆镇的唐人再开几家快餐馆，不愁冇生意呢。"

这时，金星经营上了轨道，家乐便接手了一间西人汉堡包店。每天夫妻带头，三男二女到店里上班。

汉堡店地处交通枢纽，以快出餐平价钱，招徕顾客。窗柜标出：汉堡包35仙1件，1元3件，炸薯条15仙，汉堡加薯条99仙，吃到饱饱。上班族、学生哥、过路客，蜂拥而来。顾客说："便宜又好吃，唯独大排长龙，时间不划算呢！"人有的排到半途，悻悻地走了。

家乐从厨间走出来，询问一位顾客："你们中午休息，来买午餐，有多少时间呢？"

一位顾客说："我在附近的印刷厂上班。厂里规定，午餐连休息共55分钟。下了班，洗手，开车过来，花10分钟，回去10分钟。来到汉堡包店，如果10分钟内能到手，用25分钟吃餐回工厂，就啱啱爽啦。"

顾客们七嘴八舌问家乐："到停车场，下车入店噢打，10分钟到手，做得到吗？"

晚上，家乐一家在讨论，10分钟内到手的问题，发言十分热烈。

玉清说："把一份一份汉堡提前包好，顾客一到停车场，即刻噢打，即刻就有得取啦。"

家乐想了想，说："好！好！我们在每个停车位前，装一部对讲机，客人一下车，就用话筒落噢打，不用进店里，我们把汉堡包马上送出去。"

阿嬷问："咁样噢打，又快又多，送唔及呀，怎办？"

13岁多的8年级学生、高高大大的阿建大哥举起手，说："每天下午三点钟就放学。校车来附近，我一下车跑回店，我送餐到车场去。"

12岁的七年学生阿宜大姐说："冬天，路面有冰有雪。我和大哥都会踩雪屐、蹬滑板，来个飞行送餐，到停车场吧。"

刚进家门的阿爷听了，笑着说："阿建和阿宜肯帮手，值得表扬。放学回来，先要做功课，周六能帮一点忙就好。天时冷，路面滑，飞行送餐，要注意安全呀！兄妹年纪还小，先在金星大餐厅安排出两个企台女过来帮手。以后，聘请打工赚钱的大学生来担当吧。"

家乐说："事不宜迟，说做就做。明早我去订对话机，马上安装。"

三天后，停车场上，每个车位前面，竖有一个对话机。大窗柜标出大红字：美女飞行送餐，10分钟内到手。

消息传出，客如云来。顾客泊了车，即下车，伸手摘出话筒，落噢打。回到车座位，坐定，数定钱，看着表等候。一会，托着餐盘的美女出现在车旁，轻轻敲窗，车主推开门，美女揭开餐盘盖，礼貌地说："先生的噢打，账单也在盘上。"客人如数付钱，美女说声拜拜，娇娇地挥挥手，踏着沙沙作响的雪屐，弯弯腰扭扭屁股，飞走了。看看表，不过8分钟！。

美女飞行送餐，10分钟内到手，一时成了佳话，传遍旗杆镇。每当餐期，汉堡店停车场，车辆来来往往，对讲话筒接接续续，雪屐声响起起伏伏，热火朝天。小小的汉堡店，每日卖出的380至420个噢打呢。

到第二年春节，家乐问："飞行送餐一年来，赚了多少钱？"

家嫂说："这些日子忙得团团转，未有时间点数。大约也有小半桶金吧。"

黄金档

在本州北部峡谷地区，家乐结交了许多西人朋友。空闲时，常约友人去钓鱼、打猎、驶游艇、游览风景区，出外旅行，环游美欧，享受人生的乐趣。

一日，本地区的州议员米高上门来，邀家乐去游大峡谷北部景区。

早上，两人自旗杆镇驱车北行，中午到达科罗拉多高原中心。土生土长的米高向家乐介绍，蜿蜒西行的科罗拉多河，全长2300多公里，流程磨蚀出壮丽的大峡谷，创出许多绝世的奇景，有如羚羊谷（Antelope Canyon）、波浪丘、白色人形石、彩虹桥、马蹄湾、格伦峡谷水坝、鲍威尔湖，等等。

汽车驶到一个谷地，米高说面前是北美最美丽的羚羊谷。这里是北美印第安人最大部落纳瓦霍（Navajo）的属地。羚羊谷的名称来源于过去有叉角羚羊在此栖息。纳瓦霍族的老一辈视此地为静思及与天灵沟通的栖息处。

两人向前行，见峡谷出口很窄，只容一人进出。米高说，山洪暴发，从这狭口喷涌冲出，有如龙腾虎啸，惊天动地呀。谷间美妙的谷壁，是由柔软的砂岩经过百万年的侵蚀所形成。季风烈吹，常有暴洪流入峡谷中，突然而来暴增的雨量，造成洪水流速加快，狭窄的通道将水流缩窄，垂直侵蚀力相对变大，形成谷底的走廊。走廊边缘壁坚硬而光滑。自然光通过顶部岩石缝隙射入洞内，玫瑰红色的岩壁经过多次反射折射，由明到暗，由深到浅，发生了色的迁移，形成红橙黄蓝紫多种色彩，冰冷硬朗的岩石呈现出几分温柔。谷里面的光线千变万化，从不同角度看，景色完全不同。正午时分，强烈的太阳光直射下来，一道道光柱矗立，晶莹剔透，像一柱浮浮的闪亮的冰川。

走出羚羊谷，脚下是红色沙漠。沙如红粉，由砂岩风化而成，柔软细净，步行颇觉费劲。干旱的沙漠上，灌木丛生，生机勃勃，呈现着大自然的生命力。两人来到一处悬崖，俯视下去，深不可测。崖下，有一道小河，蜿蜒绕过一页半岛。远望过去，半岛丘陵活像野马腿下的马蹄。米高说："科罗拉多河在此作270度大回转，形成一个天然的、难得一见的特别河床。"马蹄湾，鬼斧神工，实属天意。

晌午时分，汽车直奔佩奇（Page）。这儿是本州北端的歇脚地，科罗拉多河在附近流淌。米高说，1963年建成的213米高的巨型蓄水大坝，把科罗拉多河拦腰截断。这座全美第二大的葛兰峡谷水坝，水力发电工程电量，当年足以点亮全国四分之一的家庭电灯呀。水坝形成了一个美丽的鲍威尔湖（Lake Powell）。国家决定在此建立了葛兰峡谷旅游区，利用湖光水色，开发多项水上运动，与大峡谷游览连成一片，扩展成为大面积的度假避暑胜地。

家乐一路走来，摸不清这位议员此行的实际意图。上山下湖，在乎山水呢，在乎谷湖呢，葫芦里卖的什么药呢？

一直游了大半天，议员米高才说出："州议会近日确认旅游度假湖区的建设规划，并决定加快湖区建设步伐。这里，先兴建酒店旅馆、商店超市、住宅和学校，等等。工程图纸已通过，两个月内，大规模的土建工程就要动工。这里的佩奇小镇，现时只居住着三十多家印第安人。周围荒山野岭，人烟稀疏。然而，建设一开始，将有数以千计的工人上佩奇工地来，每日三餐，怎么解决呢？"

议员停了停，望望身边这位餐馆老板的面色，然后说："人以食为天，在美华人以食为先，在全美餐饮业坐第一把交椅呢！"

餐馆老板家乐完全明白了，原来三句不离本行呀，便说："OK！感谢议员先生对我唐人的赏识！"

议员先生见对方表露出好感，便打开天窗说亮话："老板父子在旗杆镇经营餐馆多年，由小到大，成就惊人。近日，飞行送餐成了佳话，誉满我北部山区。看来，要解决佩奇工地餐饮当务之急，非君莫属。"

家乐笑笑，答道："承蒙议员先生的抬举，本人实在惭愧。眼前，佩奇一纸空白，两个月内要开设新餐馆，就算能飞起来，三头六臂，也无能为力呀。"

米高议员来回踱了几个方步，耸一耸肩膊，说："听讲唐人有句老话，叫做临渴而掘井，现在我这个议员只得临急抱佛脚啦！"

餐馆老板也觉责无旁贷了，便说："时间不早了，该回去了。让我想一想！"

归途中，家乐经一番思量，问议员："议员先生，上次去香港旅行，去过庙街、砵兰街、鸭寮街吗？在那里尝试过街边的大排档吗？"

议员又耸一耸肩膊，笑着说："去过，去过好几次啰。在大排档前，食客蹲在板凳上，面对在火炉前的炒锅师傅，你即点，他即炒，即刻上台，食完即刻付钱，立即离开，真是快而美。现在回想起来，火烘烘，热辣辣，津津有味！"

家乐乘机说："佩奇开工在即，急在眉睫。不如来个棋急马行田啦。选个地方，摆个港式大排档，即做即卖即食即走。可以吗？"

一言惊醒梦中人，议员立即喜上眉梢，竖起大拇指说："That's good！ Very good！好主意，大排档。"

家乐说："唐人叫做多快好省，大跃进。"

第二天一早，米高又开车来接家乐，再上佩奇。两人看中一座已经废弃的简陋工厂，几根水泥柱顶着瓦盖，砌有半高的砖墙，作为摆大排档的地点。当即办手续，以每月400元租下来。办妥开业牌照，立即开始装修，清洗地台，洗刷墙壁。跟着砌炉灶，购置厨具和餐具，等等。

　　天作人美，家乐的好兄弟阿竹，自香港经南美辗转抵旗杆镇。家乐请他带着行李，立即上佩奇。同时，雇请了两三个印第安人来帮手，筹措开业。不到两个月，开始供应餐饮。大排档设备简陋，有长板台和长板凳供顾客使用。没有粥粉面饭，蒸炆煎炒。全部按西人食谱，供应汉堡包、三明治、热狗、炸薯条、炸鸡片和罐装饮料等。冰水免费，设有水杯，方便饮用。食品即做即卖，生鲜热辣，用大盘摆出桌上，加盖防苍蝇防尘污，配成一盘盘的套餐，明码实价。以整元为单位，减少零找，方便付费。由于工地人多，工种杂，用餐时间不统一，只能灵活掌握，尽量满足供应。

　　一日，家乐自旗杆镇送食品原料来，阿竹见面就说："每日三个餐期，几百工人蜂拥而来，只好改作四五个餐期。近日，连原住民都觉得大排档又快又好，来帮衬。每当餐期，好比日本沦陷时九龙塘施舍抢粥水，人踏人，爆晒棚呀。"

　　那日晌午，过了餐期时间，米高议员跟几位工程师来买午餐。家乐迎接到档口，对阿竹说："欢迎各位老总来捧场，任取任吃，一律免费吧。"

　　工程师约翰听见，说："我们来大排档买餐，何止今日，每日三餐，熟客仔咯。一手取餐，一手交钱。收银员赶不上收钱，把钱放在柜面上，然后离开。"

　　米高说："工程指挥部的人，从来不吃霸王餐。"

　　家乐把两日来售餐的钱，零零碎碎，塞满两个大纸箱，准备运回旗杆镇。

米高走过来，高兴地说："流金河上大银湖，湖内湖外贮黄金。湖边的大排档，是个黄金排档。"

家乐说："这里能摆黄金排档，要记议员的功劳呀。"

下南疆

佩奇摆大排档成功后，家乐马不停蹄地在巴士杰、温士劳、卡里活、肯保里等小镇，先后接手几间快餐馆、加油站、洗车房、栢文出租、房地产交易，等等，合起来有25宗生意。这时，邝家父子公司经商的版图，遍布亚省整个北部。有人叫他做北部土豪。

他却说："不过在山沟里，扯旗卖酒卖饭，赚点过路银两而已。"

有日，电话铃响，家乐接话，听出是美墨边境警官大卫，便"飒"的一声立正，响亮地答："Yes，sir！。营长，上士候命。"

当日的营长下令："送餐去！"

上士接令："Yes！送到哪里？"

"南疆，前沿阵地！"

"怎样走？"

"一日来回。明早，营长上旗杆镇来，当面交代任务。"

家乐赴韩当兵时，大卫是好心的炮兵营长。家乐退伍，营长回国当警察，两人见面爱开玩笑。

第二天早上，警长大卫果然到家乐的餐馆来，饮过咖啡，就令："出发！"

正在餐馆的阿建大哥，问："警长伯伯，出发去哪？"

警长说："回眸流金的岁月。"

阿建大哥不懂警长所说，问："流金，在哪里？岁月，哪个年代？"

家乐说："去看看曾经的淘金之地，那些年代都过去了。"

阿建大哥说："明白了。比如，古老奥塔曼，曾经是大批淘金者疯狂寻找的金矿小镇。我去看过那儿，引人回首当年的，是在街上晃悠的小驴子。它是由矿主驮货驴繁衍而来。矿主走了，没有主人了，路人若是给点食物，它就会紧紧跟随其后。小镇主街上，所见当年的酒坊和当铺，只能让人回想起半个世纪前的荒蛮。"

警长答："去奥塔曼，从这里北行，来回要两个半小时。今日是南行，沿途看类似的地方。后生哥，以后大把机会去呢。"他对家乐说："上车，执行命令。"

警长驾着警车，向西南一条古老的公路行驶，很快掉进时光隧道。由89A公路进入维德山谷，穿过杨木镇，沿着蜿蜒崎岖的山路，开向哲罗姆山坡。远望山沟坡地，荆棘丛生，零零星星散布着废弃的木屋、断墙、破车。山沟路边，可见用石头堆砌的歪墙和大树架设的椿架，承起一排快要倒塌的木屋。坡地上，不见行人，空凉静寂。哲罗姆，唐人叫做鬼埠，60年前是州内第四大城。100年前，这里发现铜矿，淘金者从加州涌来，圈地为王。1918年开始大量挖掘。鼎盛时期，近20000人在这里采铜，当中有第一第二代的老华工。矿区设施十分简陋，常有矿井崩塌事故，矿工被活埋。传说，从倒塌的矿井里，不时有悲惨的叫声、哭泣声传出。1953年，铜挖尽，矿场正式关闭。居民逐渐搬离，只剩50来户人家。警车在路边一间老店前停下来，对家乐说："这里有著名的鬼城汉堡包，下去尝尝奇味，与您的餐包有什么不同吧。"

正午时分，警车沿着本州东部边境，开进科罗拉多风景道，见一大片松柏类植物森林。穿越森林，是沙漠高原地带，转进由阿帕奇印第安人建造的88号公路，再经通国家森林，走过西奥多·罗斯福湖边，是著名的历史景点，迷信山的荷兰人博物馆，昔日鼎盛一时的黄金城堡。然后，穿过凤凰城，自10公路南下折向东南，到达墓碑镇。

警长说，去看看最疯狂最邪恶小镇吧。100年前，矿工席费林到南部找矿时，附近军营的士兵对此嗤之以鼻，说在野外唯一能找到的东西，将会是他自己的墓碑。不气馁的席费林，最终发现了银矿，就把第一口矿井命名为墓碑矿。墓碑镇因之而得名。

起初，这个非常无序的西部小镇，吸引了大批的找银子者、不法分子、牛仔、风尘女、旅店老板、店铺主人。在那最兴盛的满地银子的岁月，也有多达20000人在这里生活，酒吧就100多家。直到距今50多年前，也是银矿开采殆尽，墓碑镇急剧萎缩，只剩下大约150多人留守，只为旅游业提供服务。尽管曾经历了两次毁灭性的火灾，墓碑镇所有的建筑物都幸免于难。1882年的第二次大火之后，城镇进行了重建，很多建筑从此保留下来。

1881年，席费林的弟弟在这里建起了一座鸟笼剧院。里面设有一个剧场、一间酒吧、一个赌坊和一家妓院。当年有家报纸形容其为"最疯狂、最邪恶的夜总会"。最值得纪念的事件，是在OK Corral发生的枪战。枪战的地点是弗里蒙特街。当时镇上的警长维吉尔厄普在弟弟怀亚特、摩根以及朋友赫利迪的帮助下，与克兰顿带领的一群不法分子和野蛮牛仔展开了生死决斗。此次短暂的冲突，虽然只有30秒，却演变成美西历史上最有名的枪战。在附近的靴子山公墓，是事件中的克兰顿和其他的一些参与者的墓地。

警长和家乐来到OK Corral，看了那次枪战事件的模拟表演。两个穿牛仔装的彪形大汉，从酒吧追逐出来，站立空地，朝天痛饮，屎糊烂醉。两人对峙，叉开马步，摆出格斗的姿势，双方拔出长管手枪。突然，"叭！叭！"两声，一个牛仔装束的鬼女从酒吧冲出，举起双枪朝天打响。在外的一个醉汉，举枪对住鬼女，另一大汉用枪指着醉汉，成了三角对峙。"叭！叭！叭！"三响，三人倒地。但是，子弹都是没有弹头的。三人起身微笑向观众挥手。

离开邪恶小镇，警长熟悉地驾车折回10号公路，驶至美墨边境的要塞诺加利斯。通关大道旁，有道长长的围墙分隔。墨西哥那边，楼房屋舍很多，美国这边房子很少。关口通道，人来人往，一片繁忙。居民几乎全是墨西哥人。商店疏疏落落，只见有几间家庭式的小杂货店。

这时，家乐才清楚，警长要送餐，就是要到这南疆要塞。所谓回眸流金的岁月，就是要回顾前人为淘金挖铜找银，历尽千辛万苦，冲破艰难险阻，把荒蛮的地方开发出来。记住历史，继往开来，为本州的大开发出力！警长的用心，原来如此。

来到塞诺加利斯，聪明的家乐向警长表示，愿为建设边疆出力，在这投资开办一间餐馆。警长自然连声称好，当即带领他去勘察地点，选定铺位。在找到代理人，商定经营方式，投资计划，确定装修和购置设备，等等，迅速动工。一个月后，塞诺加利斯快餐店开张营业。

新店是独市生意，方便来来往往过路客。到美墨边界交易来的，多数是做菜果批发的经纪人。他们做大单生意，赚大钱。成交后，大饮大食。新店规模虽小，经营品种不多，但客如云来。酒吧经常客满，也能赚得金子啦。

过沙漠

　　在亚省东南，希拉河与科罗拉多河汇合处，有个尤马镇（Yuma），西邻加利福尼亚州，南邻墨西哥。家乐接手了这里一家西餐馆，在警长大卫的带引下，涉足美墨边境，成为其经营的第二宗生意。

　　一个周末，家乐驾车自大本营旗杆镇出发，沿40号公路西行、靠加州边界，抄近路，来到尤马镇。他察看了这家餐馆的运作，听了经理关于经营管理的报告，当场解答财务收支问题。

　　吃过午餐后，他从尤马镇出车，沿8号公路一直东行，横过北美最大的索诺兰大沙漠，立意体验这里的独特气候，浏览这里的自然景色。

　　汽车驶进沙漠，面对茫茫然的大地，家乐就想，经历几千年的历史，这块大沙漠，还没有进化成人们所熟悉的黄沙漫漫的一片。沙漠上的山丘，仿佛用碎石硬土堆砌而成。间中，有小小的溪水流淌。沙漠与水域相会，变得美丽而浪漫，多姿多彩，被认为是世界上最潮湿的索诺兰沙漠，年降雨量为7.6—38厘米。夏日晒旺酷热，大沙漠中自然生态依然活现。最大的象征物，是北美洲巨人柱仙人掌，专供荒漠上的秃鹫停歇。一道道溪流，像一座座蓄水池，滋养着丰沛生命的仙人掌。只要有短短的一场雨，许多仙人掌就能长出新的支根来吸收水分。冬天，大沙漠少见冰霜。雨季半年一次，但仍维护多种多样的动物植物呢。尤其亚热带的荆棘灌丛，面对严苛环境，依然欣欣向荣，成为一个得天独厚的生态系统啊。唐朝白居易所描绘的中国西北大沙漠的景色，完全不一样呀。不见那"离离原上草，一岁一枯荣"，只见烈日晒不尽，热风吹又生。

晌午后，汽车驶近大沙漠中心城市图桑（Tucson）。进城前，家乐下车参观索诺兰沙漠博物馆。听馆员介绍这馆内，聚集了300多种动物和1200多种植物。野猪、山狗、山猫、响尾蛇和各种各样的沙漠动物，以其最自然的形态活现在室外。晚间遇上，令人毛骨悚然呢！环视四周，占地二十多英亩的沙漠景观尽收眼帘。

博物馆对面，是树形仙人掌国家公园，里面有1000多种来自世界各地的仙人掌。最为著名的树形仙人掌，形体巨大，满山遍野地矗立着，就像散开的一群人，站在坡地上。

夕阳斜照，家乐不留恋路上的自然景色，驱车来到图桑近郊，见有座旧电影城。在外面看，这座曾为焰火烧毁，重建的西部小城，与周围峻岭山谷相得益彰，再现了早期拓荒者所目睹的雄浑景色。这块多彩的风水宝地，曾是好莱坞科幻影片《星门》的拍摄地。美国大部分西部片是在这里拍摄，仅巨星约翰·韦恩就在这里拍过七部电影。

夕阳西照，汽车驶入图桑。家乐尽见，古老的建筑鳞次栉比，最显眼的是18世纪末西班牙式的建筑物。城东南有座全美最古老的天主教堂——圣夏维尔德巴克，属于西班牙和摩尔式建筑。教堂里面各种绘画、壁画、雕刻点缀其间，融宗教与文艺于一体。图桑记载着当年西部的历史，有银矿、铜矿、牛仔小镇等风貌。

今日的图桑，最让人流连的是每年2月举办的激动人心的牛仔节、玉石珠宝节、图书节，这些无疑是回味西部文化的年度顶级盛会。城南面，航天航空博物馆，宽大的地面，布放着来自附近军事基地的五千多架退役飞机，供游客参观。人们可以上肯尼迪的空军一号座机，细看舱内的陈设。城区内，光学制造、航空制造业及电子工业正在兴起。坐落市内的亚利桑那大学，有30000多名学子。整个市区都充满艺术气息的闲适氛围。风格不拘的商场、装潢时尚的餐厅和酒吧、高品质的墨西哥餐馆，随处可见。

华灯初上，家乐来到唐人街工商会，会长老陈伯笑语相迎："欢迎！北方山大王光临，南方半边天全亮。"

家乐说："一介山人，沿路化缘，只求一宿，免收过路钱，为幸！"

老陈伯答："笑话，笑话。今晚，有牌局，山人大显身手啦。"

餐馆打烊后，会友们陆续到会所。是晚牌局，开6张台，噼噼啪啪打响，热火朝天。家乐近来生意顺利，老友记你一言我一语，赞叹不绝，说他有眼光，有胆色，有魄力，生意版图自北向南扩张，势如破竹呀。

家乐有点脸红，说："山人南下，时也势也。也未曾思考过，有冇捞过界，侵蚀了各位的地盘呢。"

老陈伯语重心长地说："众兄弟，不远千里而来，都是为谋生计。100年前，唐人入亚省，先到图桑一带，以后发展到省内各地。如今本省唐人快30000，在图桑只4000。试问是谁侵蚀谁？讲起亚省地盘，最先到的是印第安人，其他民族都是后来的移民。"

在旁的餐馆老板老朱哥说："唐人出洋，四海为家，落脚哪里，就以哪里为家。四海皆兄弟也。"

地产经纪人谭大哥手摸着牌子，问家乐："山人下山，在南疆开拓地盘。本人手上有张好牌，属南面地盘。要不要？"

家乐欢快地说："土地爷开声，定然系好路数。不妨派市过来啦。"

谭大哥说："南面的谢拉维斯塔，即Sierra Vista，是游客常到的兴旺景点。那里有间老式墨西哥餐馆，业主放声气出卖。地头兴旺，前途可观。"

家乐忖思，生意正在向南部拓展，一头牛要睇，两头牛照样睇啫，说："让我打电话回大本营，问问老太爷吧。"

家乐漏夜与阿爹通了电话，回头对谭大哥说："老太爷的意思，要到实地看看，探讨探讨接手的可行性。"

谭大哥即用电话联络对方。第二天早餐后，谭大哥带家乐驱车南行，半小时后到了谢拉维斯塔。原餐馆墨西哥裔老板，按约来见面。

三人到餐馆去实地勘察，见是一座独立的面积较大的建筑物，留有宽阔的空地供停车，四面交通方便，人来车往，是经营餐饮业的好地点。原来的餐馆，歇业已久，室外破破烂烂，室内设备陈旧，要投资大笔钱，进行大改建大装修，才能重新复业。

三人到附近麦当劳店坐下来，摆明实情，作具体讨论。原老板表示自己无力重修复业，愿意将生意连同物业低价出售。家乐再打电话，阿爹说，可算冷手执个热煎堆。父子当场拍板，达成交易。

随即，家乐雇用旧业主作经营管理的代理人，共同确定改建和装修的全盘计划，等等。由当地专业公司动工，两个月内全部竣工，旧貌换新颜。

新餐馆装潢富丽，外观优雅，室内装备新潮，加设夜总会。老招牌、新字号，新经理由旧老板出任，客源通畅。厨房和厅堂全用墨西哥裔，经营传统的墨西哥菜式，适合当地绝大多数人的口味。新张后，门庭若市，异常兴旺。附近是军营，兵大哥见是消遣娱乐的好去处，每逢周末假日成行成列，前来惠顾。餐馆日日爆满，晚晚歌舞，成了大沙漠一个灯红酒绿、纸醉金迷的世界。

火凤凰

  1975年，邝氏子公司旗下的餐馆，遍布了亚省北部和南端。中部的凤凰城，尚未涉足。这时，香港地产商邝高，闻凤凰城正在大开发，商机十分蓬勃，跃跃欲试。他是邝家的宗亲，几代世交，来美打算跟邝氏父子合作，从餐饮业入手打拼，开拓新天地。

  5月底，旗杆镇春寒未消，时有冷风吹拂。家乐带着来美不久的邝高，驾车沿17号公路南下，穿山越岭，从高地走向谷底，顿感气温在节节上升。两个钟头车程，到达凤凰城，仿佛换了季节，春天变夏日。

  汽车自凤凰城西北进入，直插城区腹部，转入横贯东西的10号公路，迂回东行，再沿乡村公路北走，环绕凤凰城一圈。家乐告诉邝高叔，凤凰城周边，有十多座大中小的城镇。车驶到那里，家乐指着介绍城镇的名称：皮奥里亚、森城、格兰岱尔、坦佩、钱德勒、吉尔伯特、梅萨、斯科茨代尔等等。相邻的城镇正在向中间的凤凰城靠拢，将连成一块，组成一个大都会。

入城之后，邝高叔问："听说，这里热得像火焰山，在马路上放个鸡蛋，都能烤熟，真的吗？"

家乐说："这里地处大沙漠盆地底下，平均温度高居全美主要城市之首。好比《西游记》中描写的火焰山是真，但是说马路热鸡蛋，太夸张了。鸡蛋要在摄氏75度以上才能熟。这里，每年有90天平均温度超过摄氏38度，日间最高温度近摄氏50—51度，试问鸡蛋怎能烤熟呢。"

邝高叔问："室内最高气温，超过人体内的正常温度36，人们日常起居饮食几难顶啦，何况做生意？"

家乐说："你的老同学文嘉叔，生于此长于此，体验最深。一会，去听他怎样讲吧。"

文嘉叔姓邓，是本地唐人最大姓氏家族的一员，属第二代华裔。9岁那年，父母送他回广州培英中学读书，与邝高同学。初中毕业后，他回美念完高中。离开学校，就接手父亲经营的杂货店。近年，他成了房地产商。他通晓英语、西班牙语、国语、粤话以至四邑话，经常代表唐人与西人打交道，被叫做出番人。现在是华人商会、工商会、福利会、侨团联合总会等团体的头头，大名鼎鼎的侨领。

汽车驶进一个商业中心的停车场，见一超级市场，高高而宽阔的墙壁，前头装饰着古色古香的瓦檐和横梁。旁边有一大门，黑漆的木门虚掩，两边挂着红木雕刻的对联："华堂盛宴迎宾叙，美酒佳肴撩人醉。"

家乐指着对联的鹤顶，读出"华美，凤凰城最大的中国酒家。相信文嘉叔按约定在里面等候"。

推门进去，一片黑暗暗，灯光如萤火虫。文嘉叔听到声音，上前来迎接，喊着："高佬仔，高佬仔，久违了，请进！"邝高应声，答："邓嘉仔，邓嘉仔！幸会！"

两人握手，亲密无间。寒暄不到几句，邝高叔说道："好热！好热！热到身流油呀！"文嘉叔说："快袂闩门，挡住从外面冲进来的热气。大家进厅里坐定，心安自然凉呀。"三人进入大厅，厅内灯光渐亮，照出一个宽阔的大厅堂，桌椅雅致，摆设整齐，约莫有300个座位。邝高叔坐下来，说："门前一站，大汗淋漓，真是火焰山。"他宽了上衣，解了领带，呼了两口气，说："舒服了，开始凉快了。"

文嘉叔说："凤凰城不比香港地。那边，海洋性气候，酷热起来带潮湿水气，衣服贴身汗水流流，湿乎乎，不易散去，令人难受。这里，内陆性气候，炎热而干燥。在热得难受的时候，回到屋里，洗澡、更衣，热气会迅速消失，很快就凉爽起来。从前，这里靠纸扇葵扇，靠电风扇，驱走炎热，实在难顶。那时，许多人只好外出旅游避暑。城中有些店铺关门休息，春凉揾钱，炎夏叹世界。现在，科学昌明，驱暑避热的设备随时随地，商店超市、餐厅酒店、学校教会、公共场所、住家柏文、大巴士和小轿车，空调设备齐全，冷气任人凉，任人叹，不愁人在火焰山。"

邝高叔说："火焰山下做生意，靠空调靠冷气，成本就会大大增加，生活费用升高了，大众能承受得起吗？"

家乐插嘴提出："凤凰城如火焰山，为何到这里来做生意的人，与日俱增？自从大开发号角吹响，创业者蜂拥而来，后浪推前浪，一浪高过一浪呢。难道大家不了解这里的真情实况吗？"

文嘉叔沉思了一会，掏出笔记本子，慢条斯理地说道："既然寻根问底，问到笃，我就讲讲古吧。且说1867年，拓荒者杰克·斯威尔林，从东部骑马来到这里歇脚。他听说，纪元初年，印第安人赫赫卡姆部落在这个大沙漠修了135英里水渠，从索尔特河引水灌溉，农田收成可观。纪元1400年左右，因为长期干旱，生活十分困难。加上族群部落的争斗，赫赫卡姆人首领战死，部落走散，文明没落。

杰克来到这里，眼前的索尔特河谷大片的平原，阳光灿烂，马蹄掀起干燥深厚的褐色土壤。摆在他面前的事实是，只要解决好水源，这里便是耕耘的好地方。于是，他决意留下垦荒种植。1868年，杰克带领垦荒的人群，开凿了通索尔特河的引水渠。在如今坦佩西北建立小小的居留地，叫做斯威尔林·米尔。他们祈祷，让神鸟从灼热的火炉飞出来，让赫赫卡姆人首领复活，保佑河谷成为欣欣向荣的宝地。新的土地，就以神鸟定名为凤凰城。当年5月4日，当地政府承认，凤凰城是一个选区，建立了驿站，站长就是杰克。自此，繁衍生息，发展兴旺，日进千里。以人口来说，建城之日起，到第22年，即1890年，只有3152人。80年后，1970年，达到581562人，等于185倍呀！

凤凰城的飞速发展，是由于得天独厚的地理环境。有史以来，这里未发生过重大的自然灾害。虽然每年都有几场大风沙，但没有因灾难而造成大创伤。长时间的平静环境、昌明发达国度、先进科学技术，为改造这块干燥不毛之地提供了巨大的力量。1911年，城北建成罗斯福水库，把科罗拉多河的水自北向南引来。接着，沟通加州西南的水源。从此，沙漠之城不再缺水，大都会数百万居民，不愁食水和用水。在这块土地，一年四季日照在330天以上，成为农作物的生长和进行户外活动的大好条件。天气干燥，让基本建设和电子工业减少防潮防腐设施，节约了投资。城区周围，开阔平坦，土地良多，大可满足工业、商业、居住用地的要求。冬季来了，北美各地有不少人，飞越千山万水前来过冬，被称作"雪鸟"。当许多地方已冰天雪地，这里却温暖如春，树木青绿苍翠，到处百花吐艳，绿草茵茵。难怪聪明的雪鸟，从每年10月到第二年5月，选择这里，作御寒的第二故乡呀。日月星移，凤凰城跟随时代的步伐，已经成为各族居民，从工经商的黄金地、居家度日的乐土。

1870年，在加州筑路的一些华工，跟随路轨的伸展，来到亚利桑那。1877年，越过科罗拉多河进入亚利桑那的南太平洋铁路完工，唐人就开始在凤凰城住下来，至今100多年了。"

邝高叔听过文嘉叔长篇大论的介绍，情不自禁地叹道："昔日邓嘉仔，今时邓家将，学贯中西，古今中外，天文地理，谈古论今了如指掌，说百中经，凤凰城是块宝地，细佬口服心服！"

牛仔情

邝高叔问："凤凰城大发展势在必行，开发的洪流滚滚而来。我们要半路插队，从哪里插入呢？到哪里落脚呢？"

文嘉叔说："大凤凰城东北，斯科茨代尔市（Scottsdale），是个新兴的游览避暑胜地，既有时代的气息，又保留着西部的牛仔风情，是游客的好去处。如果是从经营餐饮业入手，不妨在斯市旅游区落脚，试一试。"

文嘉叔、邝高叔和家乐一起，到斯市去探察行情。汽车沿着横贯南北的斯市大街行驶，见两边种着高大挺直的棕榈，街中的安全岛栽着鲜花草丛，巨大的仙人掌点缀其间。两旁排列着整整齐齐的富丽的商店市场，瞩目的是大酒店宽敞而排场。文嘉叔介绍：斯市是本州最大的也是全美第十八大的购物城，有200多个大商场。尼曼马库、诺德斯特龙、梅西和迪拉德等大百货在这里落户，是人们理想的购物天堂呀。

　　他们从街道往纵深望去，屋宇住宅栉比鳞次、层层叠叠，掩映绿叶丛中。空间是绿油油的草坪、起起伏伏的高尔夫球场、粼光闪闪的小湖小河，远处是在宽阔园地屹立的富豪大宅、五星级酒店和高档度假村，据文嘉叔介绍，这般高级设置，数量仅次于纽约。与度假村连接在一起，有200多处高水准的高尔夫球场，吸引着世界各地的高尔夫球爱好者。这里的西塔里埃森，是世界著名建筑大师法兰克·洛伊·莱特的冬季住处和营地。

　　汽车驶到斯市中心街，仰望入口处，一幅骑士持缰扬鞭的大画像高高挂起，电杆上悬着驯马市徽和老式马灯。街心的大喷水池中，一座群马戏水的雕塑。好几家店前，站有穿着印第安人服饰的威武卫士塑像。商店门亭平顶台上，立着昂首起步的骏马雕塑。街头园林前，置放妻骑夫赶集的情趣雕塑，到处展现着昔日骑士古镇的风情。走进历史博物馆、荷德博物分馆、狂欢节博物馆，可见更多的西部拓荒历史、原住民生活的画图。在一条艺术街，尽见专业的画廊、现代艺术馆，建筑设计，展出牛仔年代和现代的艺术品。走入展销时髦服装的流行服饰广场，更令人目不暇接。走在两条老街上，见有怀旧商店、餐厅、酒吧。商店柜台，摆满原住民赏识的玉器、宝石、奇石，各式各样。货架陈列着印第安人用陶土制成的器皿，用燧石和黑曜石制成的各种工具和武器，用棉花手工编织的布匹和饰服，用金、银、铜和锡等元素制成的合金，再把这些合金制成各种器皿和装饰品，琳琅满目。

邝高叔推开弹簧门进入一间酒吧，迎面是横架直竖的木柱，摆放在显眼处的是粗壮圆形啤酒木桶，墙上挂着牛头、盾牌、利剑。淡淡的乡村乐曲，勾起一种悠悠的记忆，让人记起荒蛮的年代。餐厅里可以吃到正宗墨西哥餐，品尝以多酸足辣为主的特色。服务生告诉他们，墨裔不拘泥于餐桌礼仪，吃餐时手起口迎，民族的爽朗豪气显现无遗。

家乐很有感触地说："美国是多民族的大熔炉。旅游胜地，可以见到世界许多民族的餐饮特色。什么是正宗美国餐呢？本人来美快30年了，也说不清楚。所谓美国餐，依我所见，不外是烧烤，牛仔游牧时吃的呀。"

邝高叔接着问："在斯市这个现代城市，有游牧烧烤的保留地吗？"

文嘉叔说："有，去看看吧。"

三人从斯市老街转出回斯市大道，驾车北行，走40分钟车程，一片沙漠，就是印第安人保留区，一个牧场。下车，从牧场木框门架进入，这个当年留存的木框架。残旧破烂的马车、解体的车轮和马鞍，横七竖八地堆在路旁。迎面是曲尺形排列的木房子，房门的小牌写着古老的室名：警长室、牢房、餐室、食品店、旅馆、杂货店、银行，等等。从房间展示的图画和实物，可以见识当年的淘金从业者、牧场主、法官、囚犯等不同身份人的生活风貌。木房子尽头空地，有散散落落的老式土炉。文嘉叔说："在印第安人节日里，可以与他们一起围着火，一边立架叉肉烧烤，一边扬手漫步翩翩起舞。如今，游人饿了，可到食品店买些肉类和木柴，当场烧烤，享受别样的情趣。

小木房外，空旷的大地，是大牧场。靠房子旁边，是牛仔表演场地。场地四边用树干栏板圈围，构成四方的木板梯级的观看台，中间是半沙半泥的坦坦荡荡的赛马场。文嘉叔绘声绘色地介绍："在赛马的日子，场上有马术表演。勇士骑着骏马，首先绕场来回奔驰，在马背上表演竖立、倒立、跷足、横卧等动作。最精彩的是，骑士扬鞭舞缰，追赶拼命奔跑的小牛。待小牛疲惫了，勇士挥力抛出绳索把它套住，拖倒横掼在地上，小牛哞哞噜噜呼叫。观众台上爆发暴风雨般的掌声、雷鸣似的喝彩声，实在太刺激呀！"

一场赛马之后，三位走出演出场。一位穿着牛仔装的骑士走来，礼貌地打招呼，问要不要骑马？三人点头，骑士从长筒马靴里倒出几支圆珠笔，自腰间口袋拔出几张纸，请三人按顺序填写表格。骑马是要签保单，交费用的。办妥了手续，骑士以拇指交搭食指放进口，用力一吹，"哨—哨—哨"三声。三位马夫牵着三匹骏马走过来。骑士和马夫挪挪马鞍，拉紧缰绳，扶各人上马。骑队一列15人，坐骑稳当，领队一声令下："出发！"一匹跟一匹，有秩序地行进。每匹马旁，有马夫手执缰绳，随行护驾。骑队绕行大牧场一周，回到原地，花了近两个钟头。日落西山，上半边天由浅蓝而深蓝，下半边天由褚黄变橙红，马儿回棚了。

家乐提出："日间领略过牛仔风情，晚上回味家乡风味吧，好吗？"

文嘉叔说："今日是周末，英坚工商会晚间开牌

124

局，抽水煮宵夜。乡亲手持锅铲，捻手小炒，家乡味道，如假包换。"

邝高叔高兴地说："到英坚工商会去，有牌玩，品尝家乡风味，不亦乐乎！"

过七关

　　经过多日的勘察，家乐和邝高叔在斯市选定了一个落脚点。这是斯市大道与骆驼背街的交叉处，进入市中心的门槛。一道人工小河蜿蜒流过，缭绕出一块小小的三角地。周围，商业繁荣，四通八达，人来人往，车如流水马如龙。

　　小三角，原是一家汽车代理商的展销场地。家乐和邝高叔找业主接洽，要求接手车场经营餐馆。业主同意优惠出租，装修期三个月免租金。家乐以老经验考量看，以前接手的餐馆，装修期都是两个月。家乐和邝高叔觉的，业主给了超乎平常的优惠，便满心高兴地签了约，租期15年。

　　原来的汽车经销处，是一座六角拱顶、八方覆盖、四围通透的亭阁式建筑物。家乐和邝高叔商定，把它装饰成一间宫殿式的餐馆。找来划则师，实地测量，规划出厅堂、酒吧、厨房、库房、经理室等间格，请专业人员设计划则，作出各项开支的预算，装修费打算用250000元，开业总投资预设计图则和投资计划，上报到斯市政厅去审核，等候批准动工。谁料，一天又一天，等了半个月，才接到通知，要到市政厅去接受咨询。到那里，斯市一位官员告知，斯市要建设成一个适合富裕人家的旅游度假胜地。对于新入市的各行各行各业必须进行严格审查把关，凡不符合环境保护、市容观瞻、社会安全、卫生管理等方面要求的，不准入市。对新开设的餐饮业，要通过下列7个部门的审查。

1. 警察局，负责安全审查东主是否与帮派行会、走私贩毒者有联系。

2. 工商局，审核已否工商登记，持有开业执照，保证依章纳税。

3. 房产局，检查使用的建筑物是否安全，室内外装潢要符合市容观瞻。

4. 消防局，检查防火设施是否齐全，实行消防责任到人。

5. 园林局，检查园林设施是否符合所在地段绿化美化的要求。

6. 社区管理局，检查能否与社区沟通，食品是否适合居民生活的需要。

7. 卫生局，检查食物的制作、消毒、保存、供应等流程，是否符合卫生标准，营业中能否建有卫生制度。

这7个部门分别一个一个进行审查，有的要实地视察检查。如有不妥，立即整改，复查合格，发给证书。就这样，

过
七
关

转转折折，历时六个多月，才得批准正式动工。合约上，业主给的免租三个月，空掉了，要多交三个月租，等装修好，才能开业。租约签订后，预期聘请来的厨师、经理和服务员陆续来到，得支付大笔薪金。员工们得闲无事打麻雀。在七单位的反复检查和改动，工程费用大大增加，预算大大超支。在这种情况下，家乐与邝高叔，只好与股东们商定装修能减就减，以后逐步补充吧。

市政厅批准动工后，又经三个月的紧张施工，大餐厅才正式开张。新张时，门前张灯结彩，鼓乐队吹吹打打，报纸电台吹吹擂擂，不少旧雨新知来捧场。文嘉叔带领一大班乡亲朋友来作客，一时客似云来，热气腾腾。然而，昙花一现，好景不长。新张大半个月后，食客试新热过了，生意日渐冷落，餐期，顾客零零散散，寥寥可数。从老板到伙计，愁眉不展。

睇风水

一日晌午，家乐在看报纸。企台西人标从外面进来，说："有位老先生捧了个木盒子，绕餐楼，前前后后，行来行去，不知在做什么？"

家乐出门看，见一白发稀疏、穿着黑胶绸唐装的老人，在正门前的小桥上，左观右望，嘴巴在不停翻动，似念念有词。

家乐上前问："先生，贵干？"打个照面，两人似曾相识。家乐想了想，记起来了，在罗省英明俱乐部玩牌时见过，名闻美西的风水师傅，马上恭敬地上前打招呼："噢！是古大师吗？大驾光临，有失远迎！"

老人家点点头，微笑说："老夫正是古玄章，错荡到此，刚刚踏入大财主的宝地，失礼失礼。"

家乐笑着说："相见为幸，何必拘礼，快快请进。"

古大师及随行的徒弟两人跟随家乐步入餐厅。茶过三巡，点心两件。家乐谦谦有礼地说："敝店刚新张，正欲择日，敬邀大师莅临开示。今日有幸。大师未卜先知，大驾光临，实属难能可贵。"

古大师答道："鄙人步入斯市，即闻唐人新建大餐厅，富丽堂皇，可比宫殿，故特前来观赏。百闻不如一见，气势非凡，风生水起，财源广进，通达四海，大展宏图啊。"

这位风水师傅说出一番吉言吉语，都是商场套话。家乐因近来生意不景，正在苦思出路，对于顺耳的话，自然入耳，便说："刚才听大师所说，这儿气势非凡，风生水起。然而，对照实际，晚生自从置身于此地，一筹莫展。与大师所言，大有相违。为何？请大师明示，以启闭塞。"

古大师低头思索一会，悟出对方正处于逆境，企望有人指点迷津，当可依计而行，便微笑说："老夫向来想他人之所想，急他人之所急。刻下，大财主心存迷惘，老夫自感责无旁贷，暂且留步，测量此处风水，探索天机地灵吧。"

这时，家乐心想，看风水，要不要？但是，风水佬在眼前前，客套话说了收不回，只得将就将就，试一试。于是，在附近酒店订了间套房，让师徒俩住下，每日由餐厅招待餐饮。师徒俩起早睡晚，手捧罗盘，仰天叩地，进行勘测。三天后，家乐奉上红包3000元。

古大师说："此地有四条冲犯。其一，地形三角，处于急转弯，与四周八方凑合；急转弯之处，车速不易控制，成为驾驶盲点，经商者常受困。其二，前面有渠道横贯，财源被挡；况且渠水向东流，有横财发也会顺水被冲走。其三，大餐室开有五扇门，钱财这边入那边出，不聚客不聚钱财。其四，厨房设在餐馆中心，如烈火烧心，老板心烦意乱，员工是是非非。

家乐问："古大师当初说，这儿风生水起，而今是不是见水阻风停了呢，有冇搞错呀？"

大师苦思一会，说："初入贵境，脚踏实地，就触及地灵。住下来，细心观察罗盘，测量天坛，才能探出玄机啰。"

家乐问："如何消冲除犯呢？"

大师说："天罡地煞，玄机在握。消冲除犯，自有妙法。这次行程仓促，回头来做分解吧。"

古大师告辞后，家乐向沃俊伯、邝高叔等人，说了古大师看风水的来来去去。

沃俊说："大酒楼问题究竟在哪里？要听取大众意见，依靠大众来改改良，群策群力吧。"

中华楼

　　周末晚上10时，邝氏公司董事会议在大酒家麻雀室举行。开两桌麻雀，玉清亲手炊了莲粉糍和炸咸鸡笼两大盘，放在旁边桌上，请大家品尝。

　　会议开始，董事主席沃俊伯开门见山地说："酒家新张以来，生意兴旺时间不长，日趋冷淡，大家在想办法，防止继续下滑。近日，加州风水古来相地，说有四处冲犯，都是地理环境问题。我想，若然在开张前说了出来，有的可以考虑。如今，生米成了熟饭，按照他的四条进行整改，要花钱，费时间，怎办呢？"沉吟一会，他对邝高叔说："老弟出身香港地产世家，又是中山大学地理系毕业，最有发言权，请说说怎么办。"

　　董事副主席邝高叔说："香港，不少人信风水。信风水的人认为，风水是科学的，不少建筑物和环境设施，遵循风水乘生气和纳生气的原则而得到益。不信风水的人认

132

为，风水有旧世界的迷信色彩。风水大师对现实的建筑物和环境，常有不够科学的分析。对于风水大师的测量，当然先要作务虚考量，然后作务实的处理，要权衡利弊，分别急缓处理吧。"

董事经理家乐接着说："如果信风水大师所说的四条冲犯，进行整改，去消灾解困，左搬右迁，停这停那，甚至重新做，难道要停业吗？行不通呀。但是，不信风水古那一套，任由冲犯，会不会崩盘呢？是要深思熟虑呀。"

董事周展伯说："前怕狼后怕虎，怎敢行路呀？大门打开了，先扫除门前的垃圾，才能门庭若市呀。"

董事监事沃俊母立即说："常言风水佬呃十年八年，看准想透未为迟呀。眼前要相信的就是——"等大家竖起耳朵，她慢慢地说："乡人话，生仔最怕起错名。"

有人嘻嘻笑出声，她又说："不是吗？我们大酒家叫做EXCALSIOR，用英文招牌，好像时髦。取意高贵典雅、精益求精嘛。其实，既难读更难记。唐人及西人都搞不清，内头做乜嘢。隔离二叔婆问：'是做金银首饰还是时装礼服？'西人杰克叔问：'是精工修理钟表？还是整水冷气，求精良吗？'这样的招牌，怎招来客人？"

这一说，大家连声称是。邝高叔站起来说："本人提议改用唐人名：'中华楼'，英文CHINA INN。"全场鼓掌通过，第二日就请来人换招牌。

董事周展叔说："新开张，雇请西人乐队，敲锣打鼓吹喇叭，大造声势，是必要的。至今仍不停，食客未入门就嫌嘈龙吵冲，不是迎客而赶客啰。"这意见很好，通过撤销乐队，节省开支。

大堂经理余培说："开张以来，员工陆续上班，有先有后，未作统一训练，差错不少。点西餐菜式交给中厨去煮，点中餐菜式交给西厨去做。出餐时，中餐拿给西人吃，西餐拿给唐人吃，唐人西人都不满意。"

大家认为，这种混乱状况必须改变。决定暂停营业两天，集中全体员工学习，进行训练。由中厨师、西厨师，分别讲解中餐、西餐的特点，大堂经理带领服务员练习运作。厨房分成中餐部、西餐部，划清责任，减少差错。

董事会议后，生意大有好转。董事厨政马安提出："厨具和餐具不足，周转有困难。大酒家应该具备两三套用具餐具呀。"

家乐一听眉头就皱，财政应付不了呀，说："增加用具餐具只能慢慢来。三个埕两个盖，只能暂且应付住，咬紧牙关，顶住挡。"

两个月后，又一次董事会议上，副主席邝高叔提出："时代在飞快发展，时间就是金钱。餐饮业快而美，才能得分。大酒楼，要建造成宜人的、舒适的、温馨的、高雅的佳境，对顾客才有吸引力。现在，酒家太简朴，缺少美化的装潢和艺术性的摆设。"

董事们热烈地讨论，认为在大凤凰城，酒楼餐馆多如牛毛，五步一楼十步一馆，尽是好去处。中华楼的竞争力很薄弱，但是在斯市，作为有规模的中国餐馆，是独一无二的。

中国美食就是优势，发挥优势，才是出路。

财务总管玉清说："目前，餐饮费一条收入，百条支出，对比之下，入不敷出。要加强中餐，要增加投资呢。本公司自进军斯市，陆续转让了各地的生意，集中了投资，可谓山穷水复疑无路了。"

谁知，柳暗花明又一村。家乐由于参加当地华人社区活动，被推选为本省华商会副会长。一次，富国银行朱先生介绍，得知联邦政府商务部有一项《扶助少数族裔小业主发展经济计划》，叫做S.B.A.LOAN。美国籍民的业主，具有经商经历，有良好信用，可以申请优惠的低息贷款。于是，他办了申请，向S.B.A.LOAN美西分部申请贷款130000美元。

这笔贷款，像久旱遇甘露滋润了干渴的土壤，让中华楼这颗幼苗，发出新芽。首先，增加中餐厨师，新订菜谱，有正宗传统粤菜、新潮港澳菜，有宴会酒席菜，还有捻手小炒、家乡碟头菜、煲仔菜，省港澳粥粉面饭，等等，适应家庭聚会、随意小酌。同时，改良厨房设备，增加中餐的用具和餐具。努力提高服务质量，女服务员穿旗袍，笑脸迎客。餐厅布局，增添中华文化色彩，悬挂中式宫灯、琉璃彩灯，挂中国书画、彩画窗帷。走廊摆设工艺品、盆景，形成古色古香的中华文化气氛。酒楼右侧有一排面向大街厢房，进行改装修饰，成为多间铺位，对外出租，更易招来顾客。

中华楼日趋兴旺，客如云来，成为凤凰城一流的大酒家，经营10年后，由于斯市建设作出新规划，要把中华楼所在的小三角改作街道景区，拆旧建新，作为街头小花园。

中华楼要搬迁，家乐想起，是风水大师所说的四条冲犯。真是天机莫测，风水轮流转。

自此，中华楼大酒家一分为三，家乐夫妇到美莎市去经营港岛楼；周展夫妇在斐匿市经营算盘餐厅；余培到坦佩市去开意大利餐厅，都在大凤凰城地区。具有雄才大略的邝高叔，赴南美洲，大展宏图。

百鸡宴

家乐夫妇经营港岛楼，犹如大船换小艇，驾轻就熟，轻松得很，时间充裕。每逢周三，约几个好友来餐楼休息室，搓几圈麻雀，消遣消遣。

一日晌午，牌局打开，四方墙叠好，家乐把骰子打出，说好友邓开："开哥，刚从唐山归来，有乜好路数呀？"

邓开哥执起骰子，撒掌打牌，说："东风起，向西吹。"

周展伯边取牌边问："牌局东风起，南、西、北吹，怎样直向西吹呀？"

邓开答："家荣叔问，有乜好路数嘛，我说的是返唐山之路，自凤凰城起程，向西行，飞经罗省，再西行，横越太平洋，到达广州，又西行，回我开平台山啰。"

家乐说："开哥这次返唐山，一路上有银纸执，想叫大家都返去执呀。"

邓开说："对呀，大把人民币执。唐山自改革开放以来，打开发财致富之路。乡间不再受束缚，乡里不再单靠田头角揾吃，可以放开手脚，发展多种经营，种植经济作物，饲养家禽牲畜，还可以做生意，办工厂，入城打工，门路多多。这次回去听到，我开平赤坎护龙乡，出现不少年收入十万元的农户呢。落实了政策，人人不愁吃不愁穿，家家埕满钵满啰。"

周展伯问："落实政策，对海外侨胞，有乜好处呀？"

不等邓开答，关广叔接过话题，说："早日，接到一位亲属来信，话乡间正在落实华侨房产政策。我家在赤坎镇那些铺头、私营工商业改造时归公去了。现在，按照政策，产权全部退还。真想回去看看，是真还是假呢？"

周展伯说："我也接到睇屋亲人的信，话土改初我家被没收的那两座碉楼，本来退还了，在'文化大革命'时又被民兵占用。近日，落实政策，又说重新退还。政策翻来覆去，也想回去看个究竟？"

家乐边摸牌边思考，慢吞吞地说："小时候，嫲嫲最宠我。土改初，嫲嫲不幸去世。亲属为她安葬，立了墓，真想回去扫墓省亲呀。"

邓开哥接着说："既然三位都有意返乡，倒不如就由家乐哥集中买机票啦。三对夫妇执齐行李，有陪有伴返唐山。"

说到买机票返唐山，家乐有点踌躇，说："唐山。对于土改初期被划的地富成分的家庭，在朝鲜战争中被征去当过美军的华人，这些几十年的老账还会清算吗？我们这些人回去，乡里们会不会另眼相看呢？"

邓开哥觉得问到点子上来，想了想，说："本人这趟返乡，认识了一位文化人，名叫老坚。他在编辑地方报纸，知些内情。据他说，几十年的政治运动，连累了不少侨胞侨属。广东土改初时，对华侨的政策确实有过偏左。虽然很快就纠正了。'文化大革命'一来，却抖搂出来，又使不少侨胞再受伤害。打倒'四人帮'之后，拨乱反正，重新落实华侨政策。应该相信，错误的历史不会重演了。改革开放以来，海外华人侨胞回国观光，寻根问祖，赞助建学校，修桥造路，兴办公益福利事业，投资发展工商业，等等，受到热烈的欢迎。"

周展叔说："想我少小离家老大回，儿童相见不相识。出洋等于出祖，回到本村唔识人，真唔知头唔知路，盲沙沙，蒙查查呢！"

邓开说："听闻那位老坚，是前中华楼管仓公老余伯的妹夫。可否联络老余伯，叫他妹夫到时照应一下，几位返去有支盲眼竹啦。"

家乐说："好主意。我就去请老余伯写信给老坚。"

三个月后，老坚接到家乐的长途电话，说他们一行三对夫妇已飞经香港，乘火车到达广州，正要乘出租车回开平，已预订入住侨园宾馆。

老坚高兴地说："几位大老板，说返就返，行动神速，有失远迎了。有些什么需要帮办的，随便吩咐吧。"

家乐说："我们三对夫妇，祖家都在开平与台山交界的乡村，相距不远，能帮解决返乡时的用车吗？"

老坚说："一个多月前，接内兄老余伯来信，我就预备了您要用车，放心吧。你们一到宾馆，就来电话。我到宾馆来拜候各位，当面谈谈行程吧。"

三对夫妇到了宾馆，住下来，家乐就来电："入住了，安定了，我们手头有点痒，能有麻雀打吗？"

老坚说："'文革'开始期间，打麻雀当做'四旧'被禁止。现在开放了。我打电话去到宾馆服务台，请服务员送副牌到房间来吧。"

20分钟后，家乐回电，高兴地说："麻雀牌已送到房间，宾馆服务员行动也神速呢。"

第二日清早，老坚带领司机，驾驶一部12座的面包车来到宾馆，接六位上车。九时正，汽车自宾馆旁广湛公路开出，西行20分钟到达赤坎镇。按照关广叔的指引，穿过上埠大街，到达海颈停车。他站起来说："我家的铺位在附近，我下车去对门牌号码。请大家等候一会。"他快步下去，走上当街骑楼，边走边仰望店铺门楣，对照自带的纸张，一笔笔地划勾。10分钟后，回车上，欢欢喜喜地说："几十年了，门牌号码全改了，不到实地来，单凭书信，好似牛头不对马嘴。这次，全对过了，一间也不少，目的达到了。下一程，到你们两家人的地方去吧。"

汽车从赤坎镇驶出，上广湛公路继续西行。半个钟头，到茅冈墟。下了车，走大路，周展叔指着前面的村门楼说："西兴里，我的出生地。"进村，见第一排巷，有间青砖楼仔屋，周展婶说："一看，记起来了，当年赴香港行婚礼前夕，我入过这间祖屋。几十年后，回家来，才看清祖家的庐山真面目啦。"

这时，受周家委托管理屋舍的一位亲属走来，迎接众人入屋。她指着对门的两幢碉楼说："'文革'时期，后幢民兵占了作宿舍，前幢村上用作养猪场。最近，落实华侨政策，民兵搬走了，楼前两排猪舍拆除了。"她拿出一份房地产权证书给屋主看。周展叔说："这是祖先留下来的产业，要看管好，一代代往下传。"周展婶说："希望子孙后代，能有机会回来看看呀。"离开时，金山客们与村人挥手道别，说"后会有期"！

汽车在广湛公路上回驶，直奔三埠，越过潭江桥和荻新桥，转往台荻公路南行。半个钟头，来到台山三八墟，听见远远传来"咚咚当当"的锣鼓声。

家乐朝车前窗指去："前边就是大马村，祖家呀。"随着越来越响的锣声鼓响，汽车驶到大马村前。家乐夫妇先下车。突然"轰！轰！轰！"村门楼爆响电光炮仗，火花四射。高高挂起鞭竹起火，噼噼啪啪，纸碎纷飞，满地彩红。"迎新娘啰！接新娘入村啰！"小孩子们在欢呼雀跃，一大群村民在热烈鼓掌！家乐嫂大大方方行前，不停挥手，捺不住心头的喜悦，大声地说："我是新娘，李村人女，嫁入大马村。首次入村，拜见父老乡亲，叔伯婶母，兄弟姐妹。"自香港提前回来村的堂弟阿全，陪同家乐夫妇，与人群中的村长德叔及多位村委员见面,握手问安,互道祝福。

家乐见第二巷前列第一间就是祖屋,马上拉着玉清的手跨入屋内,首先向神阁拱手奉拜列代祖先神位,作三鞠躬。这时屋内屋外,炮竹声声。

随后,家乐夫妇俩跟随村中兄弟,往村后大马山走去,拜谒家乐的祖母墓。山坡上,用白色沙灰砌结拱形的墓地,有点像农家的大竹框。墓地四周杂草铲除了,铺上新草皮,一派新的气象。走在前头的几位堂兄弟,往墓地拜桌摆上祭祀品,有金猪成蹄、脆皮烧鹅、大鸡项、三牲醴、发糍、白糖糕,还有莳菇、粉丝、甘蔗、米酒,等等。

家乐夫妇接过点燃的鲜香、蜡烛,在刻着"邝门黄氏夫人墓"的碑前按下,回到拜桌前肃立,合掌三拜,奠酒三巡,奉烧纸宝三轮,扬手散发契钱。

最后,屈膝下跪,泪流满面,说:"不孝孙家乐,偕孙媳妇李氏,拜谒祖母大人。记得离别出洋时,嫲嫲留下的口水果:'树高千丈,落叶归根'。早去早回呀,嫲嫲等乖孙回来打麻雀呀。"

家乐嫂立即自手提包掏出装着麻雀牌的小布袋,移步到墓碑前轻轻放下,亲切地说:"邝门孙媳李氏,拜谒先祖太夫人。"跟着,家乐以沉重的语气说:"过去了!都过去了!如今,换了人间,世道开放,改革了,太平盛世了,嫲嫲安息吧!不孝孙终于把麻雀带回来了。嫲嫲九泉之下,约些妯娌玩牌,开心吧。"几位疏堂兄弟当即点燃炮竹抛上半空,一包接一包炮竹在空中噼噼啪啪,在山沟爆发一阵一阵回响。

拜山后回村上，家乐见屋前屋后，有一排又一排鸡笈，笈口用红线系着一扇柏叶和两块铜钱。阿全告诉他："这是为欢迎兄嫂不远万里自金山返乡，本村和邻村的亲人，送来的礼物：自养的活鸡138只。"家乐见情，不禁热泪直流，说："乡情，亲情！不变的人情呀，不改的世道呀！"

知音的家乐嫂，问阿全："怎样给大家回礼呢？"

阿全向屋内大声喊："大厨公福伯，阿嫂问，怎么回礼？"

福伯大步走出来，手举锅铲爽快地回答："大礼接，大礼回。一应妥善。活鸡已全部浸熟，分派到各家各户的酒席去，摆成百鸡喜宴，本村邻村乡亲合家恭请。回礼亦留足，每家的鸡笈，半只白切鸡、一刀烧猪、两大碗佳肴。"

"乜嘢佳肴？"家乐笑着问。

"卡拉拉！大王好食辣椒酱，大豆芽菜炒猪肠。"福伯用台山话唱"滚花"，逗得全场笑声火爆。

家乐嫂即以念白回唱："顶呱呱！哼啦啦！每只鸡笈一封大利是，买模五加皮，还有余。"话声未完，家乐嫂马上拿出一捆红封包，一叠人民币，与几位堂兄弟夹手装好封好，分派到各个鸡笈去。

"百鸡喜宴，入席啰！饮酒啰！饮胜啰！"村巷间到处是欢笑声、喝彩声、鼓掌声，整个小山村沸腾起来。

故里行

半年后的金秋季节，家乐夫妇带阿妈及建大哥返唐山。一行四人乘车直回大马村，在祖屋住了两天两夜。奉拜祖先，谒先人墓，宴请亲友。向村委会捐献一些钱，赞助村民购置小型拖拉机；扩建本村通台城公路的大路，成为宽坦的水泥路；利用村上的书馆，建立公众阅读书报室，等等。第三天一早，预约老坚带司机驶车，到村上来接四人上路。

汽车沿台荻公路南行25分钟，就见台山城。阿妈指着路边的水泥大桥，说："这是从西面入城的通济桥，桥东南有块大空地。"触景生情，回忆说："半辈子了，乡间的苦日子忘不了！"

车上的人们凑身过来，侧耳听她诉说："那年，日本鬼子打台山来，到处奸淫掳掠、杀人放火。在广州和香港相继沦陷的日子，海外亲人无法寄钱回家。乡间又遇旱灾，半年无雨，土地龟裂，禾稻枯死。恰遇甲子回头，竹子开花，村民去扫竹米回去充饥。天祸人祸，饿死的不计其数。为揾钱籴米，阿桨的阿嫲与我翻箱倒柜，拣些衣服当故衣去变卖。天刚蒙蒙亮，跟着几个妯娌出村，肩挑装着故衣的竹箩，赶到通济桥侧空地去。晨光熹微，天光墟的故衣摊成行成市，人头攒攒，大家都在饿死边缘揾食呢！8时许，人渐稀疏。妯娌们把卖不出的衣服收起来，喝几啖预备好的粥水，挑起竹箩，又找生涯去。"

汽车过了台山城，继续往南行，老人家接续说："离开台城，步行南去3个钟头，到达广海镇。这时，渔船下帆归来，渔民上岸卖海鲜。几个妯娌们到海边沙滩鱼摊去，分头选购白花黄花咸鱼，回去转手卖出。晌午时刻，一起走回程。返到大马村，天已漆黑，伸手不见五指呀！第二天，天色刚露白，妯娌们相约出门，挑着装咸鱼的竹箩，到附近市集出售。市集五天一集，各市依次轮回。妯娌们跟随轮回的圩期，哪里圩期到哪里去。挑回来的咸鱼卖完一批，相约又去广海买一批，一个月两批三批。炎夏寒冬，风雨不改。那时呀，一晚睡不到三四个钟头。肩膀压成硬块，脚板磨出血泡，怎累怎苦也得捱！只盼早日赶走日本鬼子，重新联系上在海外的亲人。"说到这儿，她声音喃喃，口唇蠕动几下，打瞌睡了。

大约10点钟，汽车驶到广海镇海滩。叫醒老人家，扶她下车，来到鲜鱼市场，活的鱼、虾、蟹、鳗、蚬螺、海蜇等等，各种各样，目不暇接。

老人家看了一遍，问："怎不见当日黄花、白花呢？"

老坚答道："黄花白花，是广海咸鱼的名牌。渔船一靠码头、渔栏上船收购，供不应求呢。"老人家望洋兴叹说："回想过去，黄花白花咸鱼一摊摊，一堆堆。渔民担忧卖不去，晚一点就烂平烂贱。我们走担的，也是买不起，也担不走。今非昔比啰！"

在鲜鱼市场，家乐买了一条大青石斑、三斤花跳鱼、四斤大头虾。司机接过手，说："海鲜讲究活鲜，即买即煮。我即刻送到近处的海洋酒家烹饪，约莫一个钟头可以上席了。"

老坚领着一行五人，步行到不远的南湾山公园去参观。沿入园拾级而上，路旁岩石层叠，灌木丛丛，间中有苍翠的木麻黄。途中当眼处，竖立一块巨大的紫色花岗石。老坚招手建大哥到大石前，指着嵌刻石上的大小字体，边读边讲："'海永无波'二行四个大字，每字高3米、宽2.3米，占了大石面积的80%。两旁题字，右上款是：'钦差都督备倭都督张通书'，左下款是：'巡视海道副使徐海刻。'这块大石刻，记载着当地平定海盗的功绩。据记载，五百多年前，海盗侵扰广东沿海。明代景泰三年，张通奉命带兵进剿，初次无效。六年后，天顺三年，张通受参劾。英宗皇帝下诏，令张通再次剿平倭寇，杀贼赎罪。次年，张通出兵，发动当地民众相助，取得大捷。又过九年，成化三年，巡视海疆副使徐海到广海视察，见证了张通剿贼战绩显赫，就树立这块石刻，作为纪功碑。"

家乐接着说："老坚说的是正史，我来说说野史吧。话说从前，这里的渔村，常受狂风巨浪的袭击，渔家苦不堪言。有一年，苦行僧罗隐到此见状，同情民众，每日仰天祈祷，求上天保佑，为民解难。一晚，狂风骤雨，惊涛骇浪直扑岩洞。栖宿在洞中的罗隐，一跃而起，呼天喊地，冲出岩洞，拔起路边的朗古丛，迎着扑面的暴雨走到大岩石前。一股恶浪冲上来，他踉踉跄跄地俯伏着大石，手持朗古头被猛烈的风雨卷动，在大石面上横扫竖荡。石面洒满罗隐的眼泪和鲜血。霎时，电闪雷鸣，无数火龙直击石壁，迸发出噼噼啪啪的火花。直到第二天，罗隐醒来，见红日照耀着大海，一望无际，风平浪静，粼粼波光。晚间，俯伏过的大石上，显现出'海永无波'四个大字，鬼斧神工。奇迹传遍渔家，男女老少上山来感恩他。不久，巡视海疆的官员知此，在大石刻字，见证是平倭安民的史实。"

他解说："这是本人在台城读书时，曾到此旅行，听来的民间传说，信不信由你。"

"开饭啰。"司机开车到公园来，接大家到酒家去。

海鲜席上，酒家厨师逐一介绍："头台，大青石斑，一汤一炒；石斑头煲鸡雌，胜过饮牛奶。青斑球炒红椒，香脆爽口，好比冇骨烧鹅。第二道，大头虾，由于被捉时腹部射出无色液体，就叫濑尿虾；白灼虾，原汁原味，食时大动食指。第三道，花跳鱼，生长在泥滩的小鱼，肉质细腻鲜嫩，高蛋白，低脂肪，高维生素，人称水中人参；用香靓虾酱清蒸，入口不愿吞，嗒嗒下好味道。第四道，区边芥兰，空心质脆，叶嫩味甜，是附近水井东田垌所产，只是广海有，别

故里行

147

地方无，特别加这个蔬菜，意在清洁口腔，不留腥味。"

玉清问："这就叫做食在广海，对吗？"家乐答："食家通常叫做食在广州。"老坚补充说："新潮的讲法是好食在广州，好味珠三角。四邑就属珠江三角洲的西部。"

午后，司机驾车按预定路线北行，穿越台城，过台山与开平交界的公益潭江桥，东进新会境。

汽车穿过一片金浪摇曳的稻田，来到弯弯天马河边，有条天马村。村上一处园林，园内湖光水色，湖滨亭台楼阁，绿荫缭绕，繁花似锦。老坚笑着说："夜宿人间仙境，朝看小鸟天堂。"

小鸟天堂

嘎！嘎！嘎！鸟鸣声声，吵醒家乐等人，大家走出阳台，凭栏赏鸟。仰望一群群的鸟儿，盘旋起舞，飞来飞去，偶尔掩映长空，蔚为奇观。

景区导游员说："这些鹤群有两种，白鹤朝出晚归，灰鹤暮出晨归。一早一晚，从不间断，名闻遐迩的小鸟天堂美景呀。"早餐后，众人来到小河边。导游小姐阿娟，带领众人坐上小艇，边划行边讲起故事。

相传很久前，天马峒，土地平旷，屋舍俨然，为良田美池桑竹之乡。可是，大田峒，缺河流，灌溉不良。农民耕种，要看老天爷的脸。哪一年，天公开眼，风调雨顺，五谷丰登，日子就好过。哪一年，天公闭了眼，雨水不足，田地干旱，作物枯死，就要挨饥受饿。

500年前，天马村有位好汉阿容，带领村上的后生哥，通过勘测地形，提出开挖人工河道，沟通附近的珠口银洲湖，引水灌溉大马峒。村民推他为领头，带领大众为开挖人工河出力。经过三几个年头的起早摸黑，顶风雨，冒严寒，战酷暑，不辞劳累，终于开出了一道天马河。

汗水滴滴汇成河，双手引来甘露泉。天马河畔，蔗甜果硕稻花香，鱼肥鸭壮蚕桑靓，农民心花怒放。好汉阿容，眼看众志成河，把自己心思扑在河上。从开闸放水那天起，他就住在河上，泛舟为家，撑渡过日，为村民过河运物，深受大众敬重。

花开花落，好景不长。人工河挖成三年后，这里发生瘟疫，乡中一有钱有势的恶人，少爷染上不治之症，岌岌可危。恶人的师爷胡说，瘟疫流行，是因挖了小河，冲犯了龙脉，败了风水，带来灾难。只有堵塞了天马河，才能消灾避难。大众听了，气愤填胸！

一日，恶人请阿容到府上饮酒。阿容想好对策，落落大方上门去。果然不出所料，酒过三巡，恶人嘻皮笑脸地说，要用金银厚俸雇用他，领头民众去挑泥运石头，填堵天马河。

阿容听了，压住心里怒火，不做声。恶人叫家丁捧出银元宝，以为收买了他。限定三天后，见以行动。阿容撇了撇嘴，接下银元，走出门。

阿容回到船上，把银元分好，用纸包成一小包一小包。第二天，送给村上乡间穷苦人家。第三天清早，他用自己的钱早日买回四两白肉，半斤烧饼，一瓶米酒，放在前舱，点燃香烛纸宝，奉拜天公和河神。然后，对大马村举杯痛饮，向河水洒酒。

当晚，月暗星稀，伸手不见五指，他把装满沙石泥土的船，自河边划到河心，在船头插下木篙，固定了位。到船尾掀起舱底板，河水涌入，船尾徐徐下沉。他到船头，向天马村挥挥手，下河洇水游到岸边，深情地饮了两口河水，上岸走了。

木篙摇摇晃晃地竖立在河心，风吹雨打，水击浪冲，也推不倒，流不去。农夫们撑船经过河心，就给木篙上两框的泥土，以表示对这位好汉阿容的崇敬。慢慢地，河心现出土墩，土上的木篙抽枝发叶，枝干上长着美髯般的气生根，长出新枝干。新干上又长成新气生根，生生不已，变成一片根枝错综、扑朔迷离的榕树丛。日子过去了，大树丛浓郁的树冠覆盖河面，树荫笼罩近20亩的小岛，人们称之为榕岛。岛上的大榕树，绿叶婆娑，须根飘拂，盘根错节，无数气根落地长成枝干。哪是主干，哪是支干，谁也分不清。只见枝干交织，成丛，成穴，成网，成为树的王国。听说，像这般奇特巨大的榕树，当今世界上仅有两棵，一棵长在印度，另外就是这一棵。

故事讲到这里，游艇正好绕榕岛一周。艇上各人频频点头，玉清说："听得流耳油呀！"导游小姐阿娟说："刚才讲的故事的由来，还有故事接续呢。"一阵热烈的鼓掌声后，她继续讲下去。

一个风和日丽的早晨，有只美丽的白鹤飞到天马河的上空，绕着这棵榕树盘旋了几圈，飞走了。当晚，这只白鹤就领着一群鹤飞来，也为榕树衔泥培土，撒下鸟粪，还在这树上栖息，充当榕树的卫士。就这样，榕树越长越茂盛，鹤群越来越多，渐渐繁衍起来。这鹤群，确实有点人情味。它们分属两大家族：一是白鹤（包括麻鹤），一是灰鹤（也叫苍鹭或夜游鸟）。两大家族分成日夜两班来护卫榕树。白鹤值夜班，早出晚归，日间在外面觅食，夜间守卫神树。灰鹤值日班，晚出晨归，通夜觅食，白天守卫榕岛，哪里也不去，从不怠慢。两大家族的鹤群分工合作，友爱互助，不仅白鹤能眠灰鹤"床"，而且互相照料幼鹤。每年春秋两季，它们筑巢生蛋，孵化出来的小鹤被安置在坚固的鸟巢里，活像个托儿所。日间，白鹤出去觅食，灰鹤充当保姆。夜里，灰鹤远征，白鹤做护士。每当天空黑云翻动，电闪雷鸣，暴风雨要到来之前，守卫在榕岛上的大鹤就会发出喧闹的叫声，把同伴叫醒，群起飞鸣，保护幼鹤。一早一晚，相互交替，盘旋飞翔，嘎嘎而鸣。

村民都很爱护榕岛，爱具有人性的鹤群，相约订下乡规：方圆八里，不鸣枪，不放炮，不打锣，不敲鼓，不上岛捕鸟拾蛋，不摘野果，不采木耳，不折树枝，以保护鹤群有富足的食粮和安宁的环境，让神树快快长高长大。正因为这样，各种雀鸟都喜欢飞到这岛上来，和睦相处，欢乐共居，生息繁衍。现在，此岛已成为国家级天然赏鸟乐园。

导游讲完了故事，小艇就靠岸了。家乐上岸时，对导游小姐说："真想不到天上的鹤群，也有人间情味呢！"

老坚接着说："故事的前头讲了人世间的正义与邪恶，爱与恨。故事的接续讲自然界也具有的人性美呢。"

玉清深有感触，说："天堂的鸟儿，充满人情味，太令人感动，太令人难忘了！曾记否？在曾经失去了人情味的那些短暂的日子，只有冷酷无情，残酷斗争。脱离了人性，出现多少伤天害理的事呀！如今都变了，在返乡的日子里，到处可见真诚、亲切、温馨、美好的情感。啊！人情味找回来了！"

办华报

　　1989年初，老坚一家自乡间移民来美，抵达凤凰城。第二天上午，家乐就驱车来接他到港岛餐馆。家乐在休息室饮了咖啡，就把放在书架的报纸挪到茶几上，说："上次一起返乡的几位朋友，下午来见面。我入厨房预备几个菜。"

　　老坚翻阅面前那堆报纸，不感兴趣，无精打采，打起瞌睡。

　　一会儿，周展叔夫妇、关广叔夫妇和邓开哥陆续来到，见老坚靠椅背睡着，放轻脚步入室内坐下，不做声。待老坚醒来，相互寒暄一番。

　　邓开哥见茶几上翻开的报纸，说："报纸佬就是报纸佬，刚下飞机，时差未倒转，未睡醒，就翻起报纸来。有什么大新闻吗？"

　　阿坚说："大乡里看英文报纸，大碌墨打锣，乌锵锵。看华文报纸嘛，都是过时过候的，炒冷饭，冇味道，瞌起眼睡啰。"

关广叔说："在凤凰城，看到的华文报纸杂志，都是洛杉矶、三藩市、香港、台湾出版发行的。邮寄过来，快者十天，慢者半个月，新闻变成旧闻。唐人到亚省100多年了，没有自己办的华文报纸。有话无处说，有苦无处诉。餐铺佬两耳不闻窗外事，叠埋心水顾住个茶壶。"

周展叔说："其实，凤凰城也有不少从唐山来的读书人，怎么就没人肯出来办华文报纸呢？"

家乐从厨房出来，接着说："老坚兄，在大陆是个报纸佬。到凤凰城来，自办报纸，老马识途啦。"

老坚答："此一时彼一时。在大陆，编报纸，吃公粮，公事公办，不一样。自问，大乡里出城，初到凤凰城，人生地不熟。东南西北分不清，盲摸摸，蒙查查呢。"

家乐说："新乡里，盲聋哑跛，人人如此。40年前，本人何曾不是也有如此苦。在座的几位朋友，在本地揾食多年，相信可以做盲眼竹。东南西北的不识吗，我来带路，马上就出发。"

周展叔接着说："马上出发，去哪，入厨房，出菜，开饭，为老坚洗尘。饭后，打牌。选定日子，才出发吧。"

家乐一声："OK，厨房出菜。"

席上有：蚝豉发菜汤、当红炸子鸡、姜葱龙虾、核桃奶油虾、挂炉烧鸭、清蒸鲈鱼、雀巢带子、北菇扒菜胆。

饭后，开局打牌。家乐见四方墙砌好，说："新贵光临，满堂光彩。"他把骰子给老坚："财神到，发财顺手！"

老坚笑笑，接过骰子一边打出一边说："旗开得胜，横财顺手！"

家乐点点骰子，即说："好手势，好意头！"即离开座位，让阿坚坐庄。

阿坚当即推辞说："没玩牌20年了，手臂梗了，东南西北风吹来，昏头转向，不敢奉陪，在旁边翻翻旧报就好。"

牌局打四个圈，完场时，周展伯找关广叔交谈一会，说："为老坚兄到美洗尘，今日是家乐兄，明日下午是到周氏餐馆，后日到关氏餐厅，各显身手，再论猛夸镈。"

一周后，家乐驾车带着老坚行走本省各地，拜访乡亲，立意听听乡里们的心里话。车自凤凰城出发，先北后南，东绕西转，途经20多个大小城镇，到过20多家唐人餐馆，见过几百位老侨新侨。在当地已经50年的家乐，平时交游广泛，相见皆朋友，所到之处深受欢迎。坐下来，饮杯茶，天南地北，无所不谈。老坚用心倾听华人侨胞对华文报纸的需求。

在旗杆镇，老朱叔说："自从家乐父子进军凤凰城，本埠雀友会群龙无首，很少聚集了。餐馆佬，日间面对锅锅镈镈，夜间躺在床上，眼望天花板。发梦时，才见本地电视台讲唐话呢。"

到温士劳镇餐馆，见到周大哥。他撇开手臂，张开无奈双手掌，说："这里，大峡谷范围，开门见山，见鬼佬不见唐人。餐馆要请唐人厨，等于要下峡谷底去找人，唔使望。

本州又无华文报纸，只好打电加州报纸馆。在广告上注明：外州来人高薪，包食宿、包假期来回机票。登了一次又一次，还是盲佬放纸鸢，冇眼睇。"

到图桑市工商会，福伯大道理小道理，没完没了地讲："亚省的唐人越来越多了，要做工，要住屋，要有医疗，要考车牌，要有保险，要申请生活福利，要办老人补助，等等，唔知门唔知路，盲沙沙，唔知边度。本地的电台报纸，讲英语、西班牙语，半句唐话都冇，更冇唐人消息报道啦。当地发生大事小事，对唐人好像界外球，成了盲公、聋佬、哑仔，满头雾水。除了那些土生，那些英文勒勒响的华人，新的老的唐人冇得倾。"

两人走遍凤凰城周边大小城镇，找不到一家唐人文化娱乐的场所。家乐说："唐人平日业余生活，只有打麻雀。近年，看香港台湾的华语录影带。餐馆佬收工冇处去，就去西人的赌场，看跑狗和赛马。节日假期，远者走拉斯维加去赌博。近者开车去洛杉矶饮茶，逛街。最近，凤凰城华美酒家，新开了茶市。只在周日中午有茶饮，全省只有这一家。"

家乐说出一段新闻：一周前，华美茶楼的打工仔，因周日要上班，自感冇份叹茶，太冼气。几人相约，要去洛杉矶补数。待周日晚上，酒楼打烊后，洗澡换了衣服，已是第二天子时。驾车出发，走400里车程。到洛杉矶，东方红，太阳升。去唐人街的茶楼，尚未开市。趁早去买连日来旳唐人报纸。早市一开始，即刻入茶室。开壶普洱，来一盅两件，把爱不释手的华文报纸逐一阅读，希望多晓新闻，作为大收获。晌午后，他们去逛逛商店，就走回程。这般奔波劳碌，只为了享受自己喜爱的文化生活。然而，多行夜路，免不了撞鬼。三日前，几个打工仔漏夜赶车去洛杉矶，途中出了车祸。一场惊险，车翻人仰，有人头脸缠绷带，有人手脚绑夹板。当中扭伤腰的周大伯说："若然本地有唐人的文化生活，我等就不要去冒险，而致撞板啦。"

经过几日的走访，家乐很有感触地说："亚省，创办华文报纸，实在是这里华人侨胞的迫切愿愿望和实际的需要。"

老坚点点头，说："开办华报，任重道远。扪心自问，不过本人一介新乡里，刚刚上岸，只有一袖清风，有心也无力呀。"

家乐说："正如好多读书人所言，本院也曾有苦。来美前，读了好十年书，对于中华文化确实有感情。来美后，常感到中华民族文化的优秀，期望在海外得以弘扬光大。今日，老兄到凤凰城来，何不携起手，共同办份华文报纸呢。眼前困难重重，我们相识是缘分，本人将尽力来帮助吧，老坚得到鼓励，表示愿意跟随他，朝着开办华文报纸的方向，去创造条件。

当时，在亚省华文印务是完全空白，完全无中文植字排版设备，不能印刷华文读物。恰巧，有一家西人印刷厂招工，老坚入厂去做杂工。借此机会，向厂里师傅讨论增加华文印刷的可能性。

　　每逢周日，家乐请老坚饮茶，讨论办报问题。有次茶座，遇上保险经纪黄先生，知他通晓英语，来美前在故乡台山读过小学。他正离职空闲，便邀他合伙，组成办报三人小组。

　　一日，三人小组邀文嘉叔饮茶，将办报打算报告他。这位资深侨领听了，说："办华报，凤凰城唐人梦寐以求，自当尽力支持。编报纸没有编辑室，先在本人的办公楼腾出个房间来用。印报纸，未有费用，由我借出。"

　　在讨论报社架构时，三人首推文嘉叔为报社社长。他说："老板应由识会办报的人来当，本人做后台老板，当顾问便好。"

　　几人又推家乐担当，他说："创办新报纸，千头万绪，需要我，我当尽力，愿她早日诞生，我担任催生婆吧。"

　　"催生婆，华文报纸催生婆。"

　　"哈，哈，哈！"

麻雀经

"亚省华报创刊号！"家乐手扬华报，对港岛餐馆员工说："华报诞生了，亚省唐人有了文化园地。"

老板娘玉清说："我俩商量过，老板有意为耕耘文化园地多出力，餐餐生意由我来多担当。"

头厨王师傅笑笑，对上工不久的见习生柏仔开玩笑，说："听到吗？老板娘话，老板耕耘园地去。用劳工纸办柏仔来美，是作交换呀！细佬来做厨，大佬去耕田。"

柏仔双手通通头发，问："大佬，去边嘅耕田呀？"

家乐嫂答道："不是去耕田，是去耕耘文化园地，帮办华人报纸。报纸新办，新人新事。人手不足，需要帮助呢。"

柏仔问："大佬怎样去帮办呀？"

家乐说："担任报社通讯联络部主任，联系华人侨胞支持办报啦，找唐人老板登广告啦，揾乡里订阅报啦，还要带头写稿呢。"

"要做咁多事呀！做报纸帮办，等于在厨房帮厨，有几多薪水呀？"柏仔问。

"华报初办，大家做开荒牛。帮办，出力出钱。乡间就叫，冇米庙祝公，三餐返来港岛吃啰。"家乐答。

"乡间，这样做，叫做学雷锋，为人民服务呢。"

王师傅说："柏仔是活学活用，立竿见影呀！"

华报创刊不久，刊登了家乐的处女作《未了情》。柏仔读后，就说："大佬写去扫墓那一段，先去铲草培土的，就是本人去效劳呢。"

这时，以雇用厨师劳工纸申办移民，家乐又申办另一位疏堂弟弟松仔一家来美，也到港岛餐馆来见习。经过一段时间见习，柏仔松仔两家人，离开港岛餐馆，在家乐堂大佬的指点下，自立门户，开办另一间餐馆。

家乐和玉清，屈指一数，这些年来，帮助近亲亲人，亲戚朋友共30多宗，出力出钱，申请办理移民，尽力而为，一一落实了，自问无可厚非，无愧于列祖列宗了。如今，年届退休，便把港岛楼出让，夫妇洗脚上船了。

退休后，一日，家乐带老坚，上老根据地旗杆镇，到孖仔弟家荣家作客。家荣以礼相迎，说："华报开办以来，本地唐人有自己的喉舌，说出自己的心底话。看！孖仔哥那篇杰作《未了情》，把长期隐藏的心事，吐露出来啦，感人肺腑呀。不过，唔知孖仔嫂，会不会呷醋呢？"

老坚解释说："家乐兄回顾这段未了情，表达对过去离开人性的年代，坚定的唾弃！读来很有人情味呢，是动荡年代华侨社会男女私情的悲剧。半个世纪过去，抚今忆昔，是海外赤子良心问世的作品呀，只是为了更珍惜现实，展望美好未来。家乐兄嫂，老夫老妻，麻雀情深，心心相印，我看，岂有呷醋之理！"

家荣思考片刻，说："老坚兄台，说来有道理。孖仔兄嫂确实麻雀情深。"

老坚说："山上山下，凡有唐人的地方，就有麻雀打。我们唐人报纸登些麻雀情谊，相信是受大众欢迎的。"他看了家荣一眼，然后说："讲到麻雀情谊，孖仔兄弟从10岁起，打到62岁了，交往最深。报社真诚约请，家荣兄台，满肚麻雀经纶，执笔写写关于麻雀情谊的文章，供后生们拜读拜读，启发启发。"

这时，家荣见雀友们陆续到来，可以开两张台，就说："人齐了，请各位入座。"又说："打麻雀，不过是先埋架，筑四方墙，打骰，摸牌，出牌，叫胡，吃胡。孖仔哥，你看有什么可写呢？"

家乐一边摸牌一边说："打麻雀，为求赢避输，斗智斗谋，比技比法，认真地说，是一场不见刀枪火药，不流血的动脑肉搏战。自古以来，讲到战斗，要取得胜利，有许多的实战，总结出一系列的经验和教训，写成兵书。有如古代《孙子兵法》。近代，运动战、游击战、持久战，等等，不计其数。打麻雀这种娱乐性战斗，虽然未见有成熟的系统的战法兵书，但是人们在麻雀场上的实战中，确实积累了许多求赢避输的经验和教训。整理出来，作为打麻雀的经书，相信是十分有趣的，对活跃于海外唐人的文化娱乐，是有益的。"

家荣乖乖来个顺水推舟，说："孖仔大佬，对打麻雀既然有如此堂皇冠冕的高谈阔论，就请写将出来吧，好吗？"

邓俊叔放下手上的牌子说："其实，几位老友记玩牌，消遣而来，为消遣而回。打牌虽是一场动脑肉搏战，三军过后尽开颜了。我看，大佬先写，细佬后续吧。"

家乐笑一笑："我先写出来，只作抛砖引玉。细佬有把门楼秤，到时称一称吧。"

家荣也微笑说："细佬会把秤的。"

一个月后，华报刊出家乐写的《麻雀经》。在佩奇摆大排档的阿竹弟来电话，说："读了大佬的大作，仿佛又返香港，听马强师公在谈赢论输呢。"

家乐回话："昨日，亚省文友聚会。因我写出《麻雀经》，竟然被评为亚省华文笔会会长。意在怕我偷懒，写写停停啫。长期手持锅铲，转手拿笔杆，想来，可算大峡谷一笑话。"

一日，家荣来电说："大佬写的《麻雀经》，细佬读，照书上的打法，百分之百有输冇赢，不如叫做麻雀输啦。"

家乐爽脆地说："今日逗打，不要等明日！今日下凤凰城来，老表家开局，四个圈，再决胜负。"

未了情

　　荒山野岭，峦岗乱石，杂草丛生。白发满头的两男一女，站在草丛中，注视着面前那座家坟。

　　站在旁边的带路人说，这里已夷为平地，几日前铲了草皮，垒起这个小丘，立了刻着刘凤仪之墓的小石碑，才像个坟墓。

　　来人在墓顶摆上两盆小黄花，花枝前弯临风摇曳，似在不断地向墓中人叩首。三人接过带路人点着的香烛，按在墓地前，奉了酒，烧了纸钱，默默然，肃立着，似乎在等候地下长眠者的反应。

　　往事如泥，无声无息。站在泥土上的人，脑海里浮现着40年前的往事。

　　1948年10月，他要出洋了。在起程赴香港前的晚上，两人相约最后一次来到台城通济桥旁的草地。肩并肩，身靠身，躺在软软的青草坪，仰望着黑沉沉的天幕，俯视桥下寂静的毫无光泽汩汩流水。要说的话，说了不知多少遍，此时除了寂静还是寂静。她慢慢地转身向外，轻轻离开了他的身躯，屈曲双腿蜷缩起来。无奈中，唯有把心一横，割断这段痴情算了。他醒悟了，迅速转身过去，伸手去挽住娇柔的她，紧紧抱住，长久拥抱，热烈的亲吻。又是肩并肩身贴身躺着，她的秀腿慢慢移到他的大腿上，软软地跨着、搁着。这时，他狂然在想，就这般抱起她，跑回家去，明早抱着她起程去香港签证！冲动过了，心冷下来，再狂再热也不行呀！无情的现实，自己只办得一张出国纸而已呢！他日，正式结婚了，才有可能名正言顺，带她上路出洋呢！

她仰望着长空，又一次说："送哥出洋，到最后一程的时刻了！哥呀，何日回来？"她以无限期待的眼神望住他，泪如泉涌，湿透衣襟。

他又一次答道："妹呀，但愿人长久，千里共婵娟。"

她点了点头，尽力留住眼眶里的泪水，脸颊勉强一点笑容。

他说："哥一到香港，就给妹写信。"

家乐到香港后，当日给她的一封信，她接了，也是当天就写回。他上船前一日，接到回信，在隽秀的字里行间，她又一次表露无限的缠绵，写道："月有圆有缺，人有散有聚。只有花好月圆，何来枕边相思泪？几年后，等哥归来，妹的什么相思，什么离愁别恨，就会烟消云散了。"

谁知，人有情，天公不作美。他一上岸，就进了收容所。半年多不通音讯，叫天不应，叫地不灵。这段时间，怎样想坏了她！是怨他无情无义呢？还是怨自己命运不好呢！但是，两人互信，不会变心。无法通音讯，只好听天由命！

世事变迁，人事无常。他与她的恋情，唯有天知地知，别人哪能知。几十年过去，她的好姐妹好同学，也能倾诉一二。

1949年夏，她师范毕业。这时，解放大军挥师南下，国民党政府摇摇欲坠。社会动荡，人心不宁，侨乡不少人往外跑。她留在家里，一心等候他的音讯。

10月间，祖国五星红旗飘扬，侨乡四邑解放了。她参加乡间组织劳军活动，扭秧歌，打腰鼓，唱起"正月里来好新春，南下大军好英雄。猪呀，鸡呀，送俾边一个呀？送给解放大军啊呀！"她在学时，人才出众，能歌善舞。这时闲在家，受民众的热情鼓舞，成为拥军劳军的活跃分子，得到地方干部的赞赏，被选送到南下大军去，加入文工团，跟随大军西进，解放海南岛。到新解放区，做文化宣传工作。随后，参加当地建立新政权工作。就这样，留在海南岛。在那个火热的年代，经常奔走繁忙，只要安静一点，她的心想念着他。她在日记本写："妹等哥回，从早到晚，天黑到天光，等到天塌下来，妹也要等呢！"

这时，国内政治运动一个接一个。抗美援朝、镇压反革命、土地改革三大运动，触动不少人的灵魂。广东土地改革开展不久，自北方穷乡僻壤来的南下土改队，来到四邑侨乡，见到处碉楼林立，村上多是青砖瓦房等表象，认为这里是地主富农之乡，以为这里不少人不劳而获，剥削为生。因而，划阶级成分时，把不少归侨侨眷划作地主、富农。她的家庭被划为地主，脆弱多病的母亲，被迫缴交钱财，作为土改胜利果实，等不到落实政策改变成分，便含恨离世。

不幸的消息传来，她吃不下睡不着，常常发呆地想。记得她父亲，年少去金山，勤劳节俭积点钱。三十年后，回唐山买了几斗田，起了间青砖屋，娶了新娘。母亲生下她，不满一周岁，父亲又再出洋去捱世界。母亲寡守闺房，抚育她。母亲为人善良，与人无冤无仇，竟落如此下场，她心也碎，心也灰，人生的价值何在？！她在工作单位会上，说出这些心里话。领导认为，缺乏阶级观念，为地主家庭辩护，思想落后，不可重用。她有苦向谁诉。知心的人啊，在哪里，远在天边呢！

抗美援朝正在热火朝天。知道消息的人偷偷告诉她，他被征入伍，成为美国鬼，打横来。她就是不相信，他明明是人，是她的心上人，怎样去了美国变成鬼呢？她真想问他。可是怎能找他？就算联络他也是里通外国，那还得了！这又是多么残酷的现实。她只能期望，给人类带来灾难的战争，快快结束，让胜利归来，问他是人还是鬼！

残酷的打击，无限的忧郁，把她折磨得不像人，终于病倒了！她得的是肝病，在远离家乡的地方，无人照料，直到发现肝硬化，被送回家乡来休养。回到老家，家徒四壁，单身独居，病情日益加重。

好姐妹好同学得知，夫妇俩常去探望，为她求医，求救，祈祷，最后，药石无灵。她在临危时，多次要求帮助找到他，甚至见他一幅照片，说一声别了。

当时，中美邦交尚未正式恢复，在国内与海外的往来仍有麻烦。华人侨胞与自己侨眷亲人的联络，受到约束限制，需要小心谨慎。在乡间，出现批判"崇洋、向洋、靠洋"的动向，有人大吹"关闭南风窗、阻挡外洋风！"无奈于这种政治环境，好同学只好婉转地推辞。

临终时，她用尽将要断的气力，以微弱的声音在呻吟："但愿人长久，千里—共—婵—娟—"念罢，含泪闭上眼。

"文化大革命"结束，实行开放改革，好同学夫妇俩移民来美，才联络上，这次三人相约回来，一起去扫墓。

清明时节雨纷纷。雨稍停，又霏霏。三人站了好一会，洒在地面上的水滴，是天上落的水珠呢，还是心里流的泪水？都不想抹去，流吧，流吧，为不了情流个不完吧！

雨，渐大了，陪同的人提醒三人，要下山了。起步时，他好像听到微弱的声音："世—情！人—情！未—了—情！何—时—了！"那声音似哭泣，似哀怜，也似诅咒！他一次又一次回头望，喃喃地说："天地相隔了，未了情，情未了！"

选夫婿

　　家乐和玉清，夫唱妇随，打牌，写稿，饮茶，家务，是家乐夫妇退休生活的日程。

　　一日，王清送稿到报社。跨过门槛，笑着就说："外卖到，热辣辣，刚出炉。"

　　"多谢多谢！新鲜热辣，烫手呢！"报社主编华姐接过稿件，放在办公桌上，笑嘻嘻地说："下周送外卖要加码，来两个噢打，可以吗？"

　　玉清问："噢，两个噢打，同样的菜式吗？"

　　华姐答："一个传统例牌菜，一个新出私房菜。"

　　"说传统例牌菜，我知道。新出的私房菜吗，不知道呀。"王清说。

　　"例牌，是佳叔麻雀经。新出，是佳婶麻雀心。"华姐答。

　　家乐对华姐所说，一听心里明白，便幽默地回话："自古文人多大话。凤城多才女，叫阿华的，都是聪明伶俐。你看，主编华姐几会讲会话，约稿竟用餐馆佬的套话。所点的两道菜式，如吟诗如作画，可听又可唱。"

玉清还是不明，问："餐馆套话？怎个唱法？"

家乐答："佳叔麻雀经写了几十篇。她说佳婶麻雀心。就是要你写打麻雀的心得啰。"

玉清说："佳婶文化水浮莲，心里冇料。麻雀虽然经常打，要话心得，唥大个口得个窿。"

华姐想了想，说："听佳叔讲过，你俩是在麻雀台边第一次见面，佳婶从学玩牌打感情，打完麻雀拍拖行夜街，谈恋爱，结缘40多年，秤不离砣，砣不脱杆，情系麻雀心，何等罗曼蒂克呀！"

家乐叔说："你听，华姐这些话，就似唱歌。树上的雀仔听见，也会跳到地下来欣赏呢！"

玉清说："说句心底话吧，我两今生缘分，就是在麻雀场上选定的呀！"

"麻雀场上选夫婿，多么浪漫，何能罗曼蒂克呀？！写出来，就会感动上帝啦！"华姐说。

玉清答应："那就试一试，讲讲麻雀场上选夫婿的心得吧。"

两周后，玉清果然又送噢打来，华姐接过来看了一遍，说："佳婶麻雀心，色香味全，真系千金难买的私房菜呢。"

家乐说："我看，她已翻箱倒柜了，只有这点私货。下回噢打，再冇交易呀。"

玉清说："其实也不是完完全全的私货，有些是来自佳叔的咸湿仓底的。"

佳婶麻雀心

牌场选夫婿

第一条，入场彬彬有礼，温良谦恭让。开局和颜悦色，局中自然顺气，结局输赢不紧张，轻松离场。这类男人，不计较眼前得失，不着眼个人面子，是个理想丈夫，夫妻间能相敬如宾。

第二条，循规蹈矩，一丝不苟。顺序摸牌，顺手出牌。直来直去，不拗口，不争吵。这类男人，正直公道，无坏心肠，不搞阴谋诡计，不会和老婆耍心眼，不会让老婆吃亏受损。

第三条，气质高雅，不卑不亢。摸牌回去放在面前排列的两端，不按顺序排齐。等待时机，或上牌或掉牌，捻过度过，打了这张牌，下一张又怎样对付，心中有数。这类男人，有头脑，记性好，有眼光，有谋略。女方不妨示好意，试看是否有缘分？

第四条，用心专注牌局，一眼三瞄，看准上家下家，先出牌，后摸牌，信心十足。这男人，精明能干，意志坚定，处事决断，前程可观，是个好夫婿，若看得上眼，情投意合，迅速定亲。

第五条，牌子摸来，按序砌列，顾前及后，不忙不乱，不管他人雷响马颤，慢打慢叫胡。任由牌场风浪起，胜似闲庭信步。这种男人，做事严谨，少撞板，但古板，不灵活，适合与求稳求全的姑娘作伴侣。

第六条，争先恐后，摸牌先下手为强，摸了牌回去左察右看，才放下手砌列，量度牌势，然后慢吞吞打出。这样的男人胆小怕事，谨小慎微，计较个人得失，常常担忧有意外发生。属于怕事的小女人，可以相亲相配。

第七条，摸牌进进缩缩，出牌磨磨蹭蹭，顾前虑后，犹豫不决，甚而要看上家下家的脸色，才肯放一张牌。跟这种人打牌，好像跑马拉松，放慢脚步。这种男人，心事多多，思想杂乱，不断在盘算个人是得是失。与这种男人谈情说爱，也要跑马拉松，慢慢来，结果要经过长时间考验。

第八条，爱背牌经，评头品足，尽说人家的打法如何如何。停手不停口，叨叨嗦嗦，叫人烦恼。这种男人，做事婆婆妈妈，拖泥带水，成事不足，败事有余。女人下嫁他，会常受怪责，难得安宁，良家妇女也难忍。

第九条，自己手头不顺气，粗言滥语，发脾气，乱放炮，乱甩牌。故意指桑骂槐，得罪别人不用成本。跟这样的男人结合，遇上逆境，女人成天受骂受气，日子不会好过。

第十条，自己打错牌，却责备别人，横来硬驳，为自己诸多辩护。别人的话，全不入耳。不受劝，不下气，只顾猛颈乱叫。这类男人，爱面子，摆架子，充当大男子。做错了事，知错不改，会越陷越深，以失败告终。这样的男人，在夫妻共同的生活中，爱吹毛求疵，小题大作，对妻子尽指责，不会包容，家庭中难有和谐日子。

第十一条，上家还未出牌，自己是下家，提前去摸牌，搞乱牌局。被人捉住，装萌装蒙。这样的男人，诡计多端，爱耍把戏。女人要远离，勿亲近，避免上当。

第十二条，牌局紧张，面临输牌，手颤脚颤，不知如何为好。这样的男人，事前无思想准备，遇事束手无策。若与他组成家庭，遇上问题，只会喊爹喊娘，跪地求饶。好女要三思而行，不要上当。

第十三条，牌局已输定，袋里有钱也不拿出来，厚着面皮，当癞皮狗。这样的男人，只重金钱不讲情理，老婆有事也会不理，日子只能胡胡混混地过。

第十四条，不管输或赢，一局结束，一言不发，神色不露，呆若木鸡。这种男人，城府太深，不可捉摸。女人跟他谈情说爱，如对牛弹琴，往往表错情。

第十五条，发现桌上有自己需要的牌张，采取手指夹带另一张牌，或者打一张闪眼换一张，或者故意把牌张丢在地上低头去拾，或故意一手摸取两张牌，等等，从中换牌、偷牌、丢牌，鬼鬼祟祟，施展阴谋诡计，行骗靠呃。这种男人，惯于偷偷摸摸，作弊多端，不偷不摸不行了。对于这种品德不良的男子，善良的女子，少靠近为宜。

华姐读罢，笑笑地问："那么，佳叔属于第几条？被佳婶选中呢？"

玉清用手掩住口，哈哈笑，说："佳叔属于第十六条，或第十七条。"

华姐笑着问："佳婶怎么只写到第十五条呢？"

家乐用正宗家乡台山话答："一男一女抬氨水，未到订，打减埕。老夫老妻，睇到实，还有些少，未泻出来呀。"

金婚庆

2005年9月，家乐跟玉清结婚50周年。6月初，一家大小聚集在阿建大哥家里，商议举行金婚大庆祝。阿建大哥拿出一张英文稿，说："这是为庆金婚，拟好的请帖草稿。看看有哪些要修改。补充，才送去印刷，寄出。"

家乐接过来看，在自己的英文名Ker Loe Fong 后面，加上原本的中文姓名，邝家乐，佳叔。

土生土长的阿建大哥，能读出阿爹的中文姓名，指着后面两个字问："妈咪，怎样读？怎么解呀？"

"佳叔，你爹地的大号啰。"她把桌面上的一张文稿，给阿建大哥的大儿子，说："胜仔，去北京大学攻读研究生，刚刚回来。现在，阿嬷要考考你的中文程度，你读出来，给你阿爹阿妈、叔叔婶婶、姑姐姑丈、细佬细妹，大家听一听。"

阿胜仔接过，大声朗读："《亚省时报》编者的话：邝家乐先生喜欢别人叫他做佳叔，缘起于广东人说，搓麻将叫做打麻雀。他自小喜欢这玩意，玩得多多，不是少少。把雀字的上半截少字去掉，就是佳字啦。在麻雀朋友中，他是叔辈，大家叫起佳叔来。本报创办初，佳叔撰写《麻雀经》，有章有法，有计有谋，说赢说输，论胜论负，头头是道，犹如麻雀场上的《孙子兵法》。佳叔的大号就广泛传开。有些朋友只知叫他做佳叔、夫人就叫佳婶，连夫妇俩的本姓本名都忘记了。"他停了停，吞吞口水，继续读下去："长期来，佳叔作为本报特约撰述，开辟了《餐馆生涯》《凤城漫谈》《亲情真情》等专栏，写下百多篇文章。内容多是针砭时事，感触世态，有的放矢，言之有理。语言上，通俗易懂，短小精悍，生动谐趣。若然有佳叔的作品见报，那期报纸格外抢手。近日，佳叔要将一些文章，掇集为《佳叔文选》，编者第一个热烈鼓掌赞成。"

噼里啪啦！读罢，一家大小齐拍掌，孙仔孙女嘻嘻哈哈，学用唐话叫："佳叔！佳婶！"

阿建大哥听了，马上认真起来，说："小孩子们要学会礼貌地称呼长辈，佳叔爷爷、佳婶嫲嫲。"

三弟阿仲问："那么，我们五兄弟姐妹应叫佳叔爹地，佳婶妈咪吗？"

祖籍台山的阿仲嫂说："按乡下的习惯，我就叫佳叔老爷、佳叔安人咯。"

阿建大哥说："阿爹的书编好，我会用英文写个简介插入去，让我邝家的子子孙孙也能读能懂一些。好吗？"大家连声说："赞成，一意赞成！"

庆金婚的请柬寄出，亲友们纷纷来电致贺。有几位老友记问："金婚庆会，有麻雀打吗？"

家乐拍了拍脑袋，说："庆金婚，忘记打麻雀，不就是忘记了我俩麻雀情缘吗？！"

玉清说："麻雀情缘怎能忘记呀，快快叫儿女们过来，商量怎样办？"

儿女们都来了，决定分头打电话告诉喜欢打牌的各家亲友，金婚喜庆，加插节目，麻雀大会战，欢迎大家报名。有意参加大赛的亲人，计划多少人出场，跟哪些亲友搭架，来时能否自带麻雀牌，等等，在回信时注明尽快报来。

很快，邝家收到了回执。统计起来，要开雀局60台。除各人自备麻雀牌外，加上自家能筹集的，尚欠15副。家乐、玉清亲身去向英坚工商会、耆英会等，如数借来，一应齐备。

庆典活动开始前两天，家乐邀请参加做筹备事务的亲友，到六福大酒家饮茶，共同商讨做好接待来宾的工作，落实接飞机，安排坐车，安置住宿酒店，等等。

散会时，老坚贴着家乐的耳边低声说："请留步，有料到。"

众人离开酒家后，老坚从口袋掏出一封信，说："这是报社刚刚收到的信，里面有一副对联。注明只限三人阅读，请您先读读。"

家乐接过，看了一遍，交给玉清。她小心翼翼读了两遍，笑了笑，摇了摇头，说："不太明白，请老总来读文解字吧。"

金婚志庆

老姑婆再作新娘暗将笋街过团脂粉何尝予少妇
薄丈公重为佳婿快把虾须乱拈风流真个是擅郎

老坚呷了一杯茶，慢条斯理地说："吟诗作对，逢场作兴。这副对联读起来，对仗工整，通顺流畅。至于字里行间，何以解释？见仁见智啦！标题金婚志庆，应该是为赞颂两位主人而作。未知两位读来，感受如何？"

家乐耸耸双肩，张开双手，说："诗言志，文表意。既然对联题目：为金婚而作，应志在庆贺，心怀善良。"

玉清点点头，说："善来善受，感恩良善。"

家乐说："那么，你这个老姑婆，庆会前去斯市美容院，用最高档的脂粉，涂好抹靓，打扮成潮潮的青春美人。我这个薄丈公，剃净胡须，重现50年前旗杆埠风流倜傥才子形象，共同演一场美满的金婚礼。"

金婚庆会在斯市查帕拉尔大酒店举行。正午刚过，玉清身穿时装粉红套裙，家乐一身新西装革履。一对金婚人，肩并肩，立在宴会大厅前，迎接各方宾客。喜宾来自香港、美国和加拿大各地以及本地。当中有政界、商界、医务界、华人侨界的亲朋好友，还有当年的餐馆员工，总共560多人，济济一堂。

3时正，扬声筒播出小号吹响的《结婚进行曲》，典礼开始，家乐与玉清活像新郎新娘，春风满面，手挽手，甜甜蜜蜜，昂首阔步入会场。全场起立，报以雷鸣般的掌声。

阿建大哥上台，致热烈欢迎词。他谐趣地说："早两日，问阿妈，50年以前，我们5兄弟姐妹，在边度呀？你估，阿妈怎答呢？她用台山话说，你们几个，统统在广西睇马仔，还未揾到门口。"逗得全场哈哈大笑，玉清抱住个肚笑到弯腰。

随即，邀请金婚伉俪上台，5兄弟姐妹及他们夫婿媳妇，接踵跟上来，毕恭毕敬站立台前，儿女们为父母戴上他们共同赠送的大钻石戒指。接着，由男孙女孙扯起英文彩布"We love you, my dear grandparents!"然后，一个接一个上台，拥抱爷爷和奶奶，给以最热烈的亲吻，情味依依，温馨杳杳，无比感人！

这时夏威夷土风舞队，扬手呼啦进场，跳起草裙舞。有节奏的掌声随着舞步起起落落。舞娘们上戴花环，下捆草裙，赤足露肩，举手扭臀，热情奔放，令人眼花缭乱。舞池外围观的人们被吸引，一个又一个跨进舞池，扬手踏步，加入舞群，轻柔起舞。丰盛的晚餐送到宴席上来了，沉浸热舞的男男女女，只是朝桌上望了望，一脚一步也不停，妩媚而过。留在宴席上品尝佳肴的老人家，稀稀疏疏。宴会大厅，舞会高潮迭起，人们各适其适，各尽其乐，欢乐融融。

直到下午5时正。扬声器播说：庆会下半场节目开始，麻雀大会战。好战者，请转赴各战场。如需麻雀牌，请到台上来领取。消息播出，宴席间，一片欢呼，约一半人离场而去。醉心跳舞的人，先回到原来的座位，享用美食。

半个钟头后，扬声器播说：舞会继续，爱跳爱玩的，又来吧，咱们跳个天花乱坠，地动山摇吧！霎时，弦乐又起，鼓又再响，快三步、探戈、迪士高，跳吧，跳吧，不到疯狂，不收场！

舞场外，麻雀会战也打响了。家乐和玉清，柏仔夫妇，松仔夫妇等等是战地巡视员，正在驾车到麻雀战场去视察。车上载满饮料、水果、蛋糕及汉堡包，送到各个战场去，供给宵夜。

午夜时分，家乐玉清转辗城北住宅区。摸黑，到了家荣新搬入的府上。却见灯火辉煌，牌声清脆。两人进去，见大堂小厅，尽旗杆镇的老友记，女的讲八卦，男的在打牌，熙熙攘攘，尽是欢声笑语。

家荣边搓牌边说："大驾光临，今日，是新娘新郎一对呢？还是老夫老妻成双呀？"

玉清说："金婚大庆行礼上时，是新娘。落了装，是老姑婆了。老姑婆，现时是企台女，巴士叽鲁。在座各位贵客，饮乜？食乜？随便出声，送到台上，不用客气。"

"金婚大庆上，老态换新颜，越老情越深。只是演少了一场50年前新婚。洞房花烛夜最精彩那场，几时公演呀？"边说边拿起牌子，敲着瓦茶杯，当当响。

心急口快的家嫂说："打铁趁炉红，今晚第三场，再乱新娘，又开场！。"

阿竹弟见来势不妙。马上出声打圆场，说："上半场，老姑婆再扮新娘，薄丈公再演新郎，演得维妙维肖。下半场来，又来演巴士杯巴士叽鲁，太劳碌了。我提议，让两人棚尾拉箱，回家去，闩门自演第三场，洞房花烛吧！"接着，用台山话唱了两句不咸不淡的咸水歌：

> 兄哥呀　麻雀结缘得娇妻，呀喱———
> 姑嫂啊　牌场痴心伴情郎，呀啰———

全场笑声如潮。

家荣乘机推倒面前的牌张，喊道："吃错胡啰！吃错胡啰！阿嫂分派糍仔啰！"

麻雀糕

一个周末，家乐、玉清夫妇答应，跟二女儿阿燕医生一家去吃午餐，满心高兴。出门时，家乐不留心门口旁的碎石，脚踏上去，一滑一溜，"哎"一声，摔跤了，躺在碎石上。恰巧二女婿阿伯特医生，驶车到门前，急忙前去赶来扶他上车，送入医院急诊室。担任医院院长的阿建大哥知道，紧急召集专家们来会诊。诊后，发现有轻微脑震荡，微细血管有点受损伤，出现了脑部失忆，对眼前新事物反应迟钝，对陈旧事物记忆仍在。

经过住院治疗，家乐的记忆力开始恢复。一周后，转入康复科疗养。根据神经科专家提出的医治方案，要在特定环境下，作启发性对话，以求唤回记忆。护士珍妮进了三天测试，觉得他的脑神经反应迟钝。

每次测试，家乐都说："鬼妹讲鬼话，听不入耳。"

珍妮找玉清商量，问："说啥话题，家乐都不入耳，怎么办呢？"

玉清想了想，说："你讲过打麻雀吗？他一生最大的兴趣就是打麻雀！"

说到打麻雀，完全难住了鬼妹珍妮护士，怎样可能以打麻雀作对话呢？

玉清见她面示难状，就说："讲打麻雀，如果有需要，我可以从旁协助，做翻译，讲唐话啦，容许吗？"

珍妮很高兴，立即说："让我去报告主治医师，让我们来试试。"

第二天9时，珍妮应约在护士室等候。玉清从家里带来一副麻雀牌，用英语教珍妮，从认识每一牌子入手，熟悉了，两人一起去治疗室去，找家乐进行对答。

珍妮用英语对家乐说："今天的对话，打麻雀。"

佳叔一听，点头微笑，竖起耳朵，用心倾听。

珍妮接着说："您太太也来了，我讲不通的地方，由她来翻译成唐话。好吗？"

家乐拍掌，说："OK！OK！讲打麻雀，她是我最贴心的人啦。"

玉清把麻雀牌泻在桌上，说："测试时，珍妮拈起牌子，如果你能认出来，就大声读出来。"

家乐答："认麻雀牌子，易过吹灰啦！若然认唔出，还有世界捞吗？"

珍妮随手拈起两张牌子，佳叔想一想，读出："八万、九筒。"

　　珍妮拈起三张牌子，他不用想了，就读出："白板、同中、发财。"

　　珍妮抓住四张牌，他马上念："东、南、西、北。"

　　珍妮和玉清不断拍手称快，第一天测试，对话顺利。

　　试第二天，由家乐自己摸牌自己念，全副牌张摸了三分之一，一一念对。

　　第三天，珍妮收起已读的三分之一，把未读的三分之二倒出，家乐照样全读对。

　　第四天，家乐把全副牌子读出，滴水不漏。珍妮高兴得跳起来，玉清乐呵呵。

　　第五天，家乐边读牌边说："只读牌，不打牌，冇胡叫，冇胡吃，冇趣味。"

　　玉清问："可否试打，三人打、打慢张，可以吗？"

　　珍妮说："好！我去报告主治医师。"

　　第二周，三人就开始试打牌。起初，家乐起手慢吞吞，意悠悠。不过三场，就恢复了老手架势。珍妮初学，自然慢手，家乐心急，捺不住，指手画脚教她摸牌出牌。第五场，家乐的脑筋活跃起来，他记起小时在卜卜斋教小伙伴的情形，照样指点珍妮，上撞、切牌、叫胡、数胡、吃胡，声大声细，乐在其中。

　　通过打牌，家乐的记忆力逐步恢复起来，两周后康复出院了。出院不到三天，由他领头组成的凤凰城麻雀会恢复了活动。玉清带着家乐，按常规每周三出场打牌。家乐打麻雀唤回记忆，脑海出现奇迹，佳音传遍凤凰城。

　　一日，有位曾在中华楼当过企台的小姐来找玉清，请求助劝解她的丈夫。她说："丈夫以前曾跟老板学玩牌。谁知，学识打牌，麻烦就大。现在，晚晚收工就开场，常常通宵达旦。天光了，倒头睡在餐室，几天几晚不回家。薪水输光输净，就回家要胁老婆，拿钱去还债。吵吵闹闹，喊打喊掴，鸡犬不宁。"

　　家乐邀约那位企台女的丈夫上华美酒家饮茶，进行劝导，家乐说："乡间有句老话，教人打麻雀赌博钱，等于教人打老婆。我们在餐馆玩麻雀，只为消遣娱乐，牌底大小，要量力而行，底线是输赢不伤脾胃。做工仔打大麻雀，牌底太大，成了赌博，就出问题。赌博赢钱，立心博彩，赢了钱，想大赢，输了想赢返来，越陷越深，无止境地赌下去，祸害像无底深潭。打工仔，适宜玩麻雀仔，收入有限，牌底要小。超过了负荷，无力承担，家人受到损害，朋友也受拖累，切戒切戒！我们凤凰城麻雀会的人，多是原来当老板的退了休享晚年的，只为消遣娱乐，只求延年益寿呀，若然要大赌，想捞彩，莫进我们麻雀会来。"

　　玉清在旁说："老板常说，打牌，一战能消万古愁。通过打牌，确实消愁解闷不少，乐观处世，善心善行，今年是老板80大寿，儿女们正在为他筹备举行祝寿庆会呢。"

　　秋高气爽，家乐80高寿庆祝活动，在二女儿阿燕府上举行。女婿阿伯特是犹太裔，在北美西部有豪宅多幢。祝寿宴会设在斯市居住的豪宅。参加贺寿活动的150多位嘉宾和亲友，首先登门参观了二女儿、女婿的豪宅。

外面看这豪宅，是在鸟语花香、绿荫缭绕的大花园里屹立，即有阿拉伯民族特色又具欧美风格的现代建筑物。建筑规模庞大，拥有各式各样的现代设施。高级睡房不下10间，室内还有：大小饭厅、大小厨房、咖啡室、饮冰室、酒吧、小电影院、大电视室、音乐厅、舞池、健身室、桌球室、乒乓球室、办公室、电脑室、资料室，五花八门。室外有：排球场、羽毛球场，游泳池、三温暖浸水池等。新潮的家居设施、家私家具，应有尽有。全是冠冕堂皇的装饰，可比犹太贵族宫庭呀！

参观后，老坚感慨地说道："透过这幢豪宅，我们看到了，邝家新的一代，融入美国的民族大家庭，正为过上上层生活而努力。作为邝家来美第四代的家乐夫妇，承先启后，自强不息，创立基业，为了培育下一代，不惜工本，不遗余力。把五个儿女，培养成具有博士、硕士学位，分别当医师、高级工程师、出色的地产经纪商，成为社会的栋梁，帝皇命个个如偿以愿。确实是可喜可贺啊！"

祝寿宴会开始，在暴风雨的掌声中，承庆子女肩托手扶一个大寿礼出场。这是一桌麻雀大蛋糕连麻雀台，是用面粉、鸡蛋、牛油、白糖、食用色素调和，由子孙们手工精造成胚体，放入大焗炉烘焙定形。百多块麻雀牌子、台面，色彩栩栩如生，瑕疵难挑。祝寿大蛋糕出台时，全场起立，高声唱生日快乐歌。当寿星公寿星婆走到大蛋糕前，吹蜡烛、祈祷时，欢呼声如雷震耳。

　　当场，围绕麻雀大蛋糕做游戏，9位男孙女孙戴上手
套，拿着纸盆，跟着父母到大蛋糕台前。阿建大哥说一声
开始，男女孙一个跟一个上前，从大蛋糕中，拈起5个牌
子，读出各个牌子名。寿星公细心听着，点点头，中了赢
了，放在纸盆上。牌子全读完，统计出各人赢得的数量，
排列名次公布。然后，由孙儿们分送到各宴席上，让嘉宾
们分享。此时，喝彩声声，寿星婆玉清兴高采烈地说：
"这是爷爷在康复医院时，接受鬼妹讲鬼话测试读牌，那
一幕幕的重现。今日测试也证明，邝家第六代金山少，识
会读麻雀牌了，将逐步培养打麻雀的兴趣，邝家列祖列宗
在天之灵，会欢笑起来！"

　　阿建大哥宣布宴会开始，说："今晚宴会的菜式，是本
人跟阿爹做巴士杯时学识的。菜单点将出来，请头厨金烹
饪。能否跟得上潮流呀？请在座各位，批评指正好了。"

　　宴席上，每盏佳肴出场，暴风雨的掌声一阵接一阵，经
久不息。

全家福

    2012年，中国侨联举办亲情中华春节晚会《全家福》有奖征集活动，亚省时报社推荐家乐的家庭大合照参选。世界各地送选作品数以千计，主办的单位通过摆上互联网，公开评选，点击给分。

    时报在中国的特约记者杨美眉，在互联网上看到，家乐家的《全家福》正在热点热评，找了个机会自广州专程来到凤凰城，要拜访家乐家。

    记者到报社，立即去电家乐叔。

    家乐叔不客气，问："杨小姐，上学时，学什么专业呀？学成，在哪个部门上班呀？"

    美眉坦诚地答："本人学气象专业，一直在省气象局工作。首次来美国，实属大乡里出城，请家乐叔多多指教。"

    "叫我指教，讲唔出，但是，入门要拜土地公呀！既然你是学气象的，阿叔就带你去拜访亚省的气象吧！我们自凤凰城出发，沿通向美墨边界的高速公路南行，可到基特峰国家天文台，简称KPNO。这是位于图桑市西南90公里的基特峰顶，海拔2096米，是国家光学天文台（NOAO）的一部分。那里，主要研究设备，有各种高分析度的望远镜，有国家太阳天文台的，世界上最大的太阳望远镜、射电望远镜，等等，很有观赏价值，相信对于杨小姐来说，对口本行吧。"

美眉说："家乐叔想得太周到了，名不虚传好人佳叔呀！"

时报社老坚和华姐从未上过基特峰，表示要一起去，见识见识。

翌日清早，家乐叔驾驶一部面包车到报社，接大家出发。随行玉清，见到美眉，随即认起四邑乡里，十分亲切，当场送给她一本《佳叔文选》。

美眉谢过，即问："自凤凰城出发，去基特峰，有多远？"

玉清答："来回340里。顺路经图桑，往市内转一转，一共400多里车程。"

上车时，美眉见家乐叔坐上驾驶位，就问："由老前辈开车呀？"

玉清答："出外远行，向来是家乐叔开车。近年，年纪大了，仍不甘示弱呀！"

家乐说："当年应征入伍，参加韩战，在炮兵营车大炮，翻越悬崖峭壁，练就的本领。眨眼60年过去，人老了，宝剑未老呢。"

"请问家乐叔，今年贵庚？"美眉问。

"足龄83了，不轻了。"玉清答。

"我说时年23，好年轻呢！"家乐叔接着解释说："人生到了60，叫做甲子回头。过了第一个60甲子回头，不就是23吗，仍然有大把世界呢。"

美眉睁大眼睛望过去，家乐叔鹤发童颜，背不驼，腰不弯，手操方向盘，头不偏，眼不斜，神采奕奕，风驰电掣向前奔驰。她不禁摇头兴叹："佳叔今年23，第二甲子也过了三分之一有多啦，前头无疑是大把里程呢！"

玉清插话："家乐叔呀，人老心不老。去年第七次回祖国观光。参观上海世界贸易展览会，游长江，过三峡，上重庆，下武汉，好像不知疲倦。登南京中山陵时，从碑亭到祭堂平台，上290级石阶。他气不喘，脚不软。我这个老伴，比他小15岁，总是跟不上，到了顶，他来搀扶我呀。"

老坚说："置身异国他乡的华人侨胞，老夫老妻，能像家乐夫妇这样，叫做福寿双全呀。"他对美眉说："我看正在参选的他们的《全家福》，内涵有着鲜为人知的人情味呢，相信是写专访的好题材呀！"

华姐起立，向美眉介绍："您知道吗？这一幅《全家福》，可称是国际族裔结盟大合照呢。"她叫美眉翻到《全家福》那幅照片，说："他夫妇俩有儿女婿媳10人，其中华裔7人，西裔2人，犹太裔1人；男孙女孙9人中，混血儿3人，华裔孙儿6人。令人最感动的是，二儿子及西裔妻子的，亲生女儿长大之后，他们还要收养一位华人女婴。在《全家福》中，当年的女婴，现已长成亭亭玉立的小姑娘，成为大家庭中的一员。为了收养她，做爷爷奶奶的家乐叔夫妇，做父母的二儿子及西裔妻子，一行四人，飞越太平洋，专程到她的出生地广西去，办理手续，四人带一女婴回美国。此情此义，包涵着多么甜蜜的爱心！多么温馨的人情味！试问，人世间能有多少家庭，相互间能有如此深厚的情感呢！"

老坚说："这幅《全家福》包涵着多么伟大的父母心！多么善良贤淑的两代人母爱！多么美丽的人性呀！"

半月后，时报以特大通栏标题整版刊出。特约记者杨美眉专访《佳叔今年二十三》。这篇充满人情味的特写，很快传遍亚省及美加各地，佳叔佳婶名声大噪。

果然他们的《全家福》荣获全国侨联2012年春晚大奖。

喜讯传出，华人社区欢欣鼓舞，亚省社团集会热烈庆祝。庆会上，著名女民歌手方春银唱起一首夹房歌：

一贺好年景，

二贺人高兴，

三贺佳叔真光荣，

四贺佳婶知天命，

五贺胜，

六贺金榜定，

七贺子孙大昌盛，

全家福

八贺全家福康宁。

"唷呵！唷呵！唷呵！唷呵！"喝彩声，欢呼声，如雷霆万钧，响彻云霄。家乐叔兴奋不已，捺不住心里的激动，上台念出《我的人生》：

四代祖传金山路，
我持锅铲绘新图。
花开花落麻雀局，
一生如自摸满胡。